廣播論叢

柯 玉 雪 著

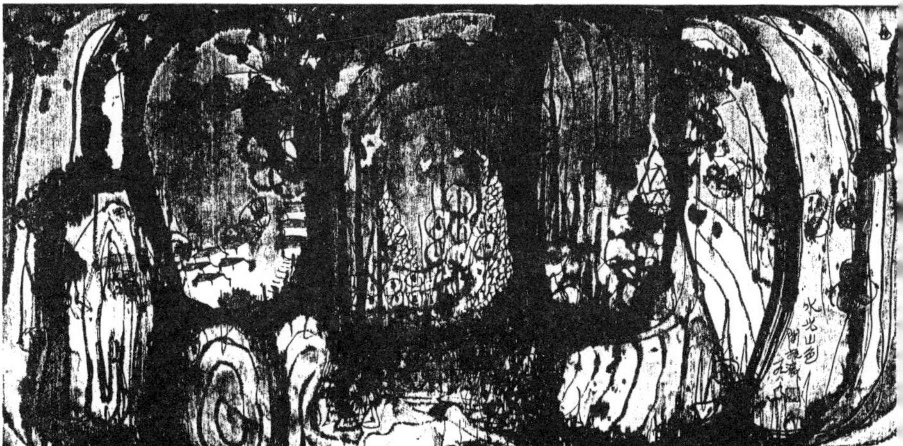

文史哲出版社印行

廣播論叢 / 柯玉雪著. -- 初版.-- 臺北市 :
文史哲, 民82
面 ; 公分
ISBN 957-547-796-0(平裝)

812.3

廣播論叢

著者：柯玉雪
出版者：文史哲出版社
登記證字號：行政院新聞局局版臺業字五三三七號
發行人：彭正雄
發行所：文史哲出版社
台北市羅斯福路一段七十二巷四號
郵撥〇五一二八八一二彭正雄帳戶
電話：三五一一〇二八
印刷者：文史哲出版社

實價新台幣二〇〇元

中華民國八十二年七月初版

ISBN 957-547-796-0

關序

我平時俗務纏身，難能得空，又必須埋首資料與書堆中，故而雖然忝為廣播人，實多愧之者也。然而對於廣播劇，我其實也並不太陌生，早年政府播遷來臺，由於生活型態使然，廣播劇曾經極為風行，街頭巷尾，各人各取「耳」需，一時之間，國、臺語廣播劇百花齊放，好不熱鬧，彼時許多國、臺語名劇迄今猶然耳熟能詳，臺語如「薛丁山征東」、「廖添丁」等，國語如「花田錯」、「鎖麟囊」等，稍有年紀者對其劇情且能娓娓道來。

幾經時序更移，廣播劇在其他聲影媒體的大量出現後，其影響力雖稍有挫折，但其地位卻仍屹立不搖，正是所謂「說者諄諄，聽者津津」；不但自成領域，且為收音族生活中不可或缺的一環。

這期間，細心的聽眾自應不無領會，浮泛說來，包括廣播劇名的由典雅趨向平俗、劇情的從典故改編轉為自由創作，等等，很顯然的，廣播劇「創作」的成份急劇增加了，這也無形中凸顯了廣播劇的文藝性格與現實特色——這是我粗淺觀察的心得之一，不過，證諸從前印象與柯玉雪小姐「廣播論叢」的廣播劇及廣播節目評論文章，此一看法頗讓我信之不疑；關於這一點，我日後若有機會，將會就教此中方家，給我指教。

除了上述淺見，我認爲，今昔廣播劇的差異更重要的一點還在於：它已經更「精緻」了，這於柯女士十餘年孜孜於斯的創作與詳述文章即可窺見了然，尤其後者，她將一般人對廣播劇「聽過就算了」的消耗心態，一異而爲可以「研究」的文化「資產」，就此論之，作者的居心、費心和成就，無疑是值得給予大大肯定與鼓掌的。

對一般讀者來說，這本「廣播論叢」或許會是「冷門」的著作，但對研究廣播乃至廣播劇的有心人而言，這本書應該是一冊不折不扣的經典，尤其作者流露在筆尖與胸間那股隱然可見的「熱情」，實在已足讓她在此領域留名。

前面已經提及我對自己身爲「廣播人」的慚愧，對於這本好書，其實原無我置喙餘地，然而承蒙作者抬愛，一再促請要我在她足以藏諸名山的大作之前「獻曝」，我也不好推辭再三，於是斗膽提筆胡言一番，惶恐戰兢，不在話下。

以上。是爲序。

關　中寫於八十二年五月卅日台北

姜序

民國八十一年的六月，柯玉雪出版了她的第一本著作：「錦瑟恨史」，這是一本近幾年她努力創作的「廣播劇選集」。臆想不到的是出版後頗獲各界人士的青睞，尤其難得的是遠在海峽對岸四川大學文學院任教的王世德教授，特撰文評介，於此間「立報」發表，這份殊榮，得之不易，茲特附錄在本書中，以供讀者參閱。

事隔一年，如今，她再接再勵，將近幾年來，先後在「新生報」、「中華日報」、「立報」、以及「廣播月刊」、等雜誌社發表的一些有關廣播評論的作品，經過一番冷靜、愼密的篩選，結合在一起，出版第二本書，希望我在書前，寫幾句話　爲讀者作一番引介。

這幾年來，她因撰寫國語廣播劇，閩南語廣播劇，不特仔細的收聽他人寫的廣播劇，進而撰寫「廣播劇」「廣播節目」的評論文字，似乎已成了「專家」，因爲目前各大報紙，篇幅雖多，但評論廣播劇廣播節目的文字，甚爲少見，結集出單行本的，更是鳳毛麟角。玉雪年來精讀各類劇本及有關戲劇理論的書籍，頗有心得，加上她落筆謹愼，觀察入微，態度又公正客觀，所評述觸及的，也都能抓到癢處，讀後使人心悅誠服，有些意見和建議，還被電臺主持者採納改進。至於她寫的舞台劇：「天下第一樓」、「詹天佑」等劇評，事後寄送大陸演出劇團，亦都獲得演出單位的讚同與肯定。

愛默生說：「僅是天才，不能使人成爲作家，每一卷著作都有人力。」細數柯玉雪從事文學寫作的歲月，從七十二年至八十二年，已長達了十年，這一串不算短的時光裡，憑著她的用功、聰明、和智慧，也曾獲得過不少的榮譽與獎勵。使我想起李登輝總統對「文學創作」說過的話，他說：「文字是文化的表徵，文學則是由民族靈魂深處所流溢出來的智慧與情感，也是民族興亡、文化絕續的具體指標。」

我覺得玉雪摯愛廣播寫作的熱情和成就，是值得鼓勵的；但就「文化絕續的具體指標」而言，似尚有待繼續不斷的努力。

一支生花的彩筆，決非短短十年，就能磨礪誕生。在未來的日子裡，我期望她能以無比的毅力與恆心，繼續在「廣播」的園地裡，埋首耕耘，不以「本書」爲滿足，這樣，才能創造出更璀燦的成就。

最後，我要向國立成功大學文學院院長閻振瀛博士，致最高的謝意，蒙他慨然同意採用他創作的「山光水色」名畫，作爲本書的封面，更要感謝中國廣播公司的董事長關中委員爲本書寫序，使這本書增添了不少引人矚目的光彩。

姜龍昭寫於八十二年六月九日南港

廣播論叢　目錄

關　序……關　中……一
姜　序……姜龍昭……三
「文藝作家郁達夫傳」——談朱白水的廣播劇……一
「橘子紅了」——琦君原著朱白水改編的廣播劇……四
一齣可以「看」的廣播劇——聽「看不見的殺手」有感……七
「再給我一個機會」——談姜龍昭的廣播劇……一〇
「一隻小小鳥」——談高前的廣播劇……一三
「溫馨的小木屋」——談高前的廣播劇……一五
「顧曲周郎」聽後感——談貢敏的廣播劇……一七
「斷線的風箏」——談蒙水麗的廣播劇……一九
「生命之歌」——談李曉丹的廣播劇……二三
「桃花源夢醒時」——楊天蕙的廣播劇評介……二四

「天涯歸客」—廖筱潔的廣播劇評介……二六
「青山依舊在」—談葛大衛的風格……二九
「嫦娥下凡」受難記—談卡通化的廣播劇……三二
「生命悲歌」—小說與廣播劇的異同……三四
「痴男怨女的嘆息」—「贖罪」廣播劇評介……三七
「走過雙十」—談歷史廣播劇……四一
「這樣的藍天眞好」—談廣播劇的配樂與音效……四四
「撲滿媽媽」—談廣播劇之分場技巧……四六
「夢裡星光」—談倫理的廣播劇……四八
「畫框裡的紫玫瑰」—性格悲劇的產生……五〇
「飆車小子」廣播劇—剖析私生子的心結……五三
「鐵漢」—跟上時代的腳步……五六
「巧妙的計策」—逗趣的閩南語廣播劇……五八
「天公疼憨人」—評介閩南語劇「兄弟情」……六〇
「董事長的先生」—評介閩南語廣播劇……六三

「我不是媒媒仔馬」—向命運挑戰……六五
「原裝進口」—中廣的閩南語廣播劇……六七
趣說廣播劇劇本中「……」符號……六九
談廣播劇「錦瑟恨史」的出版……七〇
「宗教與人生」—趣味的李俊男講經……七二
「俊鳴講古的風格」—一個永遠的說書人……七四
「散播溫情在人間」—評閩南語的「社會劇場」……七六
「安安趕雞」—吳樂天「娛樂天地」評介……七八
聽警廣胡雲「京片子」—說紅樓夢……八〇
「戲說三國」—類似說書的「空中劇場」……八二
「天下第一樓」在日本觀後感—誰是主人誰是客……八四
「詹天佑」在北京觀後有感……八九
「老百姓胡同」評介……九二
我看「家和萬事與」……九五
「金色的鈴聲在空中」劇情的商榷……九八
「機器人」話劇的聯想……一〇〇

聆賞歌劇「遊唱詩人」之後……………………………………一〇二
附錄一：
「錦瑟恨史」評介—談柯玉雪的廣播劇………………王世德……一〇五
附錄二：
柯玉雪得獎記錄……………………………………………………一〇九

「文藝作家郁達夫傳」

——談朱白水的廣播劇

朱白水先生是編劇的老前輩，早年，在各電台曾編過許多大受歡迎的戲。例如：「魂斷嘉陵江」廣播劇，一播再播深得聽衆喜愛。近日，朱老師編的廣播劇「文藝作家郁達夫傳」，在播出前，不少報刊特別預先刊出是劇即將播出的訊息，這在廣播劇並不算風行的現代，實相當罕見。

劇中描述郁達夫與王映霞相戀、相愛、終告仳離的故事，並表現郁達夫從事文藝創作與遠赴南洋投身抗日宣傳，慘遭殺害的經過。

王映霞乃杭州四大美人之一，生長在富裕的家庭。自從當郁達夫的第二任妻子，無法繼續維持其婚前的奢華生活　終究以離婚收場。

撇開個人好惡，「郁」劇的文學價值，是不容否認的。加上資深導播白銀女士，及中廣優秀的演播人員，通力配合，使得是劇的可聽性更高了。唯有幾點意見，請聽衆朋友同鑑如下：

(一)表達愛情稍嫌露骨

感情或愛情的表達方式，有許多種，最高妙的境界是若有似無，欲笑還嗔的在隱隱約約之中。而戲一開始，就愛得瘋瘋顛顛，講一些「讓我們熱烈的擁抱在一起」的肉麻話。聽衆直覺得郁某人是個好色之徒，一點也激不起半點同情，更未體會出他倆之性靈，有什麼非在一起不可之必需。

㈡兩個孩子是誰所生

戲中談到空襲時，郁達夫兩個孩子到處亂跑，王映霞卻只顧外出尋歡作樂，一點不心疼那孩子。按女人對自己親生的孩子，多半有出自天性的母愛。王映霞出身名門，竟棄自己的子女於不顧，自己跑出去跳舞，甚奇。莫非那兩個孩子是郁達夫前妻所生？爲何未交代？

㈢何必貶責郭沫若

郁達夫及他的朋友，左一句郭沫若那小子，右一句郭沫若那個傢伙，並指其爲文替無產階級宣傳，顯然是被共產黨利用……等等。在戲中郭沫若一直未出場，而在被提到時，總少不了貶他幾句。直叫人暗暗爲郭沫若抱不平。

按，郁達夫與郭沫若等人於一九二一年創立創造社。一九二八年與魯迅編輯《奔流》雜誌，一九三〇年與魯迅等同爲中國自由運動大同盟，中國左翼作家聯盟發起人。一九三三年國民政府全面肅清共產黨時，隱退杭州，思想逐漸消沈。

郭沫若生前在未任官職之前，是位很有才華的文學家，他研究甲骨文貢獻良多，（與董作賓彥堂、羅振玉雪堂、王國維觀堂、郭沫若鼎堂）爲「四堂」之一。何必爲政治因素，而厚此薄彼？

縱觀郁達夫的一生，除了支持政府對日抗戰之外，其他無什麼可佩之處。他開風氣之先，把個人丟面子的事，毫不遮掩的暴露給別人看。氣憤國家不如人，寫個人的苦悶，甚至性苦悶。他那些自敘性的小說，雖引起當時青年的廣泛注意與歡迎；可惜藝術成就有限，結構不緊湊，徒然留給讀者頹廢的壞影響。但，其時代性是不容忽視的。

站在廣播劇的立場，我們感佩朱老師，願花時間查史料，寫這種冷門而具文學價値的戲。然而站在傳記文學的嚴肅性，及信實原則之下，本劇的劇名實有商榷之餘地。因爲郁達夫的一生不僅僅，如戲中所描述，那只是他這生中最被注意的一段戀情罷了，並不是全部。如果能用「郁達夫與王映霞」之類的劇名，不是更合乎信實原則嗎？否則，郁達夫如果有情有義，他對生命中另兩個女人，（第一任及第三任妻子）難道未曾有過一絲的歉意與恩愛嗎？又他曾與魯迅一起編輯一份雜誌，一起同爲某運動發起人，「傳」中豈能如戲中隻字未提？

（八十一年十一月三十日立報）

「橘子紅了」

——琦君原著、朱白水改編的廣播劇

「橘子紅了」是琦君女士原著、朱白水編劇，中廣分上、下集播出的廣播劇，內容主述苦命女子秀芬的遭遇。我身爲現代女性，聽了此種壓迫、凌虐女性的悲劇，不禁憤然。

清末明初，故事的主述者周家小姐——秀娟的大伯，在城裡做大官，有個交際花的二太太與他同住。偶而回鄉下與大太太，也就是秀娟的大媽聚聚。雖有兩位太太，可惜都未曾生下一兒半女，爲了傳宗接代，大伯透過好友葉伯伯的傳話，囑大太太替他到鄉下物色一個健康一點的姑娘，準備娶回家當三房，希望生個兒子。這事怕二太太知道鬧起來，所以大伯吩咐大太太，如果娶三房之事辦妥，就叫秀娟寫信到城裡告訴大伯說——橘子紅了。這樣他就可以瞞著二太太，自己再抽空回鄉下與新娘子圓房，盼早日生個兒子。

具有「傳統婦德」之大太太，果然不辱夫命，花了五百銀元聘禮，買了寄居兄嫂的孤女秀芬，才十八歲，比秀娟大兩歲。兩個人雖輩分不同，卻成了好朋友。不料大伯雖討了三房，仍很少回鄉下，反而是秀娟的六叔周平，自從家裡多了個以前的小學同校同學——秀芬。而頻頻回鄉下，不像從前那樣專心於城裡學校的功課。

周平教秀芬認字，與秀娟等三人常一起到周家橘子園裡的小屋玩象棋，日子久了基於憐憫同情轉而生男女情愫。某日周平與秀芬二人，月夜到小屋中幽會，被周家長工阿川發現。幸而二人尚未有過肌膚之親，在大太太寬宏大量的告誡之後。這對彼此相愛的男女，也只能將愛藏在心中。周平回鄉下的次數也大爲減少。

秀芬終於懷孕，霸氣的二太太恐秀芬生子，奪去丈夫對她的寵愛，便強行派人要將秀芬接到城裡，表面上說要調養秀芬的身子，實際上是另有打算。秀芬害怕受二太太虐待，在二太太的人馬未到之前，冒著狂風暴雨的黑夜，一個人走山路，想逃回兄嫂家躲藏。由於天雨，山路溼而滑倒在半路，秀芬被周家大太太尋回時，腹中胎兒已經流產，大病數日，大伯始終未回鄉下探望她，而周平從城裡趕回來，也只能看她一眼，什麼話都不能說就走了。秀芬在傷心難過之餘，病情加重，竟而因此小命休矣。

琦君女士的散文，常以她童年回憶爲主，劇中的秀娟就是她童年的化身，她用一隻多情的筆，細細的描寫，周圍的人事，頗受青少年歡迎。然而，儘管故事曲折，可是在現代人的觀點之下，整個故事都脫離現實，且其精神與時代脫節，較難以引起聽者共鳴。

例如大太太怪自己肚皮不爭氣，而甘心受命運擺弄。在娶新娘時，因爲新娘命硬，便遵照算命先生的指示，從豬欄邊進門，並把新娘嫁衣外披的黑衣及時脫在外面，表示晦氣全給攔在外頭……凡此種種迷信、一夫多妻，不尊重女性，帶有封建思想的題材，若不蘊含現代精神，實非編劇的最佳選擇。

朱白水先生是老師級的劇作家，除了自己編寫不少大受歡迎的劇本，也曾多次在編劇班任課，眞可謂化人無數。近日他更獲中華民國編劇學會授予「魁星獎」，可見其對戲劇之貢獻是備受肯定的。他的劇本不論在結構、對話……等方面都堪稱一流。期盼朱老師，多著重在現代精神，及能引起現代聽衆共鳴的方向取材，多關照還活著的，及正在成長的人。

（八十一年十二月九日立報）

一齣可以「看」的廣播劇

——聽「看不見的殺手」有感

最近，中國電視公司播出八點檔連續劇「長官好」時，特別利用「雙聲道」的發音系統，在正常的畫面播出外，利用另外一聲道，在只見動作而無對白聲音時，配以旁白的說明介紹。這樣，盲人和不能看電視劇的朋友，只要打開此一聲道，不看畫面一樣可以收「聽」電視了，很新鮮吧；但更新鮮的是，想不到廣播劇，也可以「看」了！

近日，中國廣播公司播出「看不見的殺手」一劇，就是一齣可以「看」的廣播劇，眞可謂廣播劇的新突破。

劇作家姜龍昭先生，曾寫作各類型劇作，如舞台劇、電視劇、兒童劇、廣播劇……。多年來，我看過他很多別具特色的劇本。最近，他的新作「看不見的殺手」，劇中的人物有些是肉眼所不易見的「鬼」，這種創新求變的精神，是令人敬佩的。

戲一開始，旁白的報幕，就要聽衆先把電燈熄滅，閉上眼睛，打開「心眼」來「看」這齣廣播劇。

劇中主角是六十多歲的沙虎臣，年輕時作惡多端，致老來受不住良心的譴責，被那些寃鬼糾纏、折磨。最後，那些「看不見的殺手」終於逼得他跳樓自盡。雖然他用不當的手段，得到了萬貫家財，也有賢慧的妻子，乖巧的女兒，甚至請了最好的醫生，但終究難逃一死，所擁有的，末了都將失去任何意義，正如劇終旁白所言：「冤有頭，債有主，多行不義必自斃」。社會上許多人做了壞事、殺了人，可能逍遙法外；但是，人死後會變成冤魂，那些別人看不見的鬼魂，隨時在等著找他算帳。此劇旨在奉勸世人，壞事千萬做不得，沙虎臣就是一個例子，你願步他的後塵嗎？

「看不見的殺手」一劇中，沙虎臣先騙了一個叫春桃的少女，害她逃亡途中與父親失散。在她孤苦無依求助時，把她強暴了之後，還將之賣入「火坑」，任她在私娼寮受盡了折磨。春桃逃出後，沙虎臣怕她糾纏報仇，找流氓打得她遍體是傷，然後裝進麻袋，丟到海裡餵鯊魚。

此外，他又謀害當年合夥做生意的夥伴徐志青，買通手下黑狗，將他殺害分屍，甚而黑狗，也遭其滅口，難逃死亡的命運……。

嚴格說來，這些情節並無新意，只是很平凡的社會新聞之串連。沙虎臣最後「惡有惡報」的結局也是常見的編劇技巧。然而，將這些平凡的素材，放在一種新的形式裡面，效果自然不同於一般勸善的「說教」劇。它不僅僅說出「惡有惡報」的金科玉律，也讓我們從播演的過程中「看」到，體會出壞事確實做不得。

未曾「看」過此一廣播劇的朋友一定要問，究竟——

這廣播劇是如何能「看」的呢？

原來，作者先利用旁白來敘述場景，及鏡頭畫面的情形，然後，鬼魂出現時又利用ECHO的迴聲製造氣氛，使聽衆，閉上肉眼，確能憑想像，如同看電視、電影一樣，腦中浮現眞實的畫面。當劇中人沙虎臣說：「不，……我不要死，……救命啊！」時，我們的腦海裡就會浮現，他向鬼求饒的情境。這種經由聽覺，透過想像、思維所構成的廣播劇，確是很有趣的突破，也是「創新」的嘗試。

事實上，這齣戲的成功，導播、編劇、演員……各方面搭配得宜，配音葛大衛先生、錄音唐翔先生，均功不可沒。在鬼魂出現時，利用ECHO（迴音）的效果，作出鬼說話的音效，確實花了不少的心思。因爲，除了極少數的人，我們誰也沒聽過「鬼」說話。然而，當我們聽到那種哀幽低沉的特殊聲音，眼前似乎就眞出現劇中的「鬼」的樣子。

惟一美中不足的是，這種新形式的廣播劇，若在半夜，至少要在晚上播，才「對味兒」。製播單位不知何故，將它安排在中午十二點播，日正當中播出，使得本劇的氣氛，受到相當的影響。建議中廣公司，若以後要重播這一廣播劇，最好在晚間播出。

時代在進步，電視劇可以利用雙聲道，讓盲人能聽電視劇。廣播劇則利用編寫的技巧，讓聽衆可以看廣播劇。這種新的突破，值得在此向大家作一推介。盼望中國廣播公司今後繼續努力，使廣播劇能更進一步，俾多樣化的精緻作品，在聽衆面前呈現。

（八十年十一月廣播月刊）

（註）此文發表後，中廣已於晚間重播此劇

「再給我一個機會」

——談姜龍昭的廣播劇

現代社會生活壓力大，什麼光怪陸離的事都有，青少年犯罪的花樣愈來愈多。甚至用他們自己特有的語言，形成青少年次文化。「再給我一個機會」日前於漢聲電台演出，講的就是一個無知少女，不慎染上毒癮的故事。

高中女生施美玉，原本尚知用功求學，卻由於父親中風住院，母親疏於看管，而受壞同學蔡玲、小馬的影響染上安非他命毒癮。爲了吸毒買藥，美玉不敢像蔡玲一樣，在校園銷售安非他命，因此到處向同學借錢，甚至想偷偷拿母親的首飾去賣。終於紙包不住火，美玉吸毒的事被母親知曉，在親情的感召下，美玉對母親說：「再給我一次機會」，她決定到煙毒勒戒所去戒毒。

蔡玲因在校園販毒，被學校開除後，轉而當起建築公司的售屋公關，賺了錢，就打起嗎啡來了。美玉戒除毒癮之後，高中畢業沒考上大學，準備補習重考之際。某日，又遇上蔡玲，因意志薄弱，也跟著打起嗎啡，不久她再次被送入勒戒所戒毒。這次並被判了兩年有期徒刑。她父親因爲受不了愛女再次吸毒被抓的刺激，一命嗚呼。美玉在牢裡意外遇見蔡玲，而得知小馬因販毒而死亡的消息。而蔡玲本身也因毒癮發作，不堪痛苦而自殺死亡。

由於母親、弟弟、老師、好同學的關心勸導，美玉要求衆親友：「再給我一個機會」，她要痛改前非。

吸毒者，剛開始總以爲，那沒什麼，不過是提提神罷了，一旦上了癮才後悔莫及。尤其是意志薄弱的人，戒毒之後再犯的可能很大，進進出出勒戒所，生活中變成不可一日無「冰塊」（年輕吸毒者稱安非他命爲冰塊），生不如死。按說，編劇作家既然不吸毒，又怎能得知其中細節，能把這戲寫得很生動，而與現實相吻合？

僅僅靠編劇的個人常識是不夠的，一定要下功夫蒐集資料。根據本劇作者，亦即資深編劇姜龍昭先生表示，他寫作本劇之初，曾親自到煙毒勒戒所，訪問所長、所內工作人員、及正在戒毒的人。作筆記，並索取相關之文字介紹、圖片……等。

劇本下過功夫，一聽即知。可惜，擔任美玉一角的演播人員，由於實際年齡比劇中人年齡大很多，爲了控制聲音配合少女的身分，致情感未能融入戲中。反倒是飾小馬的袁光麟先生，及飾美玉之母的梅少文女士，雖然戲份並不算多，卻戲感十足。尤其是袁光麟，他以往演大情聖，聲音中表現得多麼有情有義；而今演出不肖之徒，也有那種吊兒啷噹的感覺出來，眞是應了那句「戲不在多，會演就是好」的至理。

人只要有機會，就有希望，如劇中吸毒少女，一再要求家人親友給她一個機會。改過自新；主要是自身意志薄弱，經不起損友之誘惑。雖說人非聖賢孰能無過，但，當要求別人「給我一個機會」的同時，也唯有必須靠自己努力，才能眞正把握住這個重生的機會。

（八十一年十一月十五日立報）

「一隻小小鳥」

——談高前的廣播劇

星期天因事滯留在外，進家門時已晚間八點零九分，扭開收音機頻道，雖然已經報過幕，還來得及聽漢聲電台的廣播劇。

這齣戲「一隻小小鳥」，敘述一個十七歲的小女孩阿桃，她父親在圓環賣肉粽，含辛茹苦的養育她，她非但不知感恩圖報，反而嫌棄父親的職業，離家出走。離家後，阿桃化名爲李莎，利用一個有錢的女同伴，偷她的錢、首飾、化妝品……甚至剛空運來的巴黎時裝也擅自穿去。利用這些物質，到處招搖撞騙，說自己的父親常年在國外，做的是大生意……如何如何風光。末了眞相被揭穿，由她老父親來接她回去，大部分朋友念在她尙年幼，都原諒了她。

聽完了這齣廣播劇，覺得很有趣，對話活潑、順暢，針對青少年愛慕虛榮、及社會的浮華不實，人性的拜金崇洋等心理，用廣播戲劇的方式演播，達到間接教化大衆的效果。心想這種以青少年爲題材的戲，大概是年輕劇作家之作吧！等聽了劇尾報幕才知道，原來是資深劇作家——高前高老師的大作，眞是出乎意料之外。

一般人娶太太可能希望愈年輕愈好，但，身爲劇作家，卻是年紀愈大經驗豐富、思想成熟，愈見其功力。不論什麼樣的題材，即使是以描寫青少年心態爲主的戲，也能寫得自然生動。可惜部分演員台詞說得太快，演少女者，又嫌老氣了些，使得效果大打折扣。

事實上，國內專門寫廣播劇的人寥寥可數，高老師算是質與量都兼顧的少數劇作家之一。他曾因看到一堵由泥巴加麥楷做成的牆，而觸發靈感，以神來之筆，寫作廣播劇「牆頭說」，奪得該年度最佳編劇金鐘獎。其他獎項，更多不勝數。據說，他每天督促自己，至少要寫三千字，常年如此，早已成習慣。準此。我們期望，在「一隻小小鳥」之後，高老師仍繼續秉持其良好之創作習慣，爲聽衆寫有趣的本子。也盼電台能培養幾位青少年甚至兒童的角色，以配合劇情演出，提高製作品質及趣味性，如此一來，喜愛廣播劇的聽衆可有耳福了。

（註）漢聲電臺已經接受作者建議，以後劇中少女、兒童角色，不再由成人演員廣播。

（八十一年六月二十二日立報）

「溫馨的小木屋」

——談高前的廣播劇

關金德是個退休的老校工，自從老伴在海邊撿海菜被海水沖走，獨生女兒婚後難產而死之後，他孤孤單單的把自己封閉在年久失修的小木屋裡，很少與人交往。只有老朋友林火旺、及鄰居茶藝館的女老闆淑貞，不時關心他的生活起居。

也不知道是命中相剋或兩人犯沖，老關與火旺的兒子義雄，每次一見面就拌嘴，事實上他們彼此都互相關心。後來在義雄建議下，老關搬出小木屋，與賣水果的女婿阿水同住。由於生活上的小細節，及喪偶的阿水，在外有女人，老關又搬回小木屋獨居。一個大男人，既非痴心情種，有女朋友也不算什麼，而且很正常，老關也明白，自己不能因爲女兒難產而死，就自私的要求女婿終身不再交女友。最後，因爲小木屋實在年久失修，而阿水購屋時老關曾拿出八十萬資助他。阿水便拿出一筆錢，約八十萬，替老關翻修小木屋。

廣播劇反映時代，現今人口年齡逐漸老化，不少老人獨居，資深編劇高前扣緊這點，寫出獨居老人的心酸。更成功的是他塑造了義雄這個角色。由漢聲電台關義男（不知是否這麼寫）飾演，他的聲音自然憨厚，與袁光麟的音色截然不同，在大部分廣播劇演員的聲音聽起來很美，美得失真，美得不親切的趨勢下，他的聲音反而顯得多麼符合人性。

義雄這個角色之所以可愛，令人激賞，主要是他扮演的是一個誠實、說眞話，又常常關心老人生活的年輕人。老關雖然見了他就要訓他幾句，一旦衆人決定要老關，搬到女婿阿水家時，阿水主動想替老關搬家，老關拒絕，反而喊叫剛剛挨過他罵的義雄，要他幫忙搬。這一場戲是全劇中最溫馨又有趣的一場。

還有一點値得一提，五十分鐘的廣播劇，一般上場人物不少於六人。編劇技巧差的，有時還用了十幾二十人，高前先生在本劇只用了五個人物，就能寫得入情入理，合乎戲劇原理，不愧是編劇高手。

（八十二年一月六日立報）

「顧曲周郎」聽後感

——談貢敏的廣播劇

漢聲電台於七月二十八日，播出由貢敏編劇的五十分鐘廣播劇「顧曲周郎」。爲「千古風流人物」劇集之一。內容概述三國時代，東吳的孫策、周瑜與大、小喬相識乃至成婚，之後男主人公死去的故事。這齣戲的對話，優美、典雅，不愧出自名家手筆。然較之前一個戲——「當罏艷」，在大結構及戲劇衝突性上略顯遜色。站在一個「廣播劇」聽衆的立場，願將管見寫出，與諸同好，切磋琢磨。

㈠劇作家的文字洗練，寫詞兒通暢。但開場戲利用現代的倆姊妹，以姊姊說歷史故事給妹妹聽的方式。代替報幕引串全劇。這對姊妹間的對話，占全劇的比例太重。使得戲的主線不能充份發展。減少「演」出男、女主角的愛情，卻由她們「說」一些「穿插」性質的小掌故。（例如喬公應爲喬玄）。且劇中大、小喬，已經是古代的倆姊妹，現又利用現代的倆姊妹之組合串場，易使聽衆混淆。

㈡男女主角相識；「曲有誤、周郎顧」……這些細節寫得很清楚。周郎、小喬婚後生活、結尾……則著力不夠，使人有「虎頭蛇尾」之憾。

㈢作家亮軒、愛亞客串演出，以非職業的身份，演得不在職業播音員水準之下，頗爲難得。

最後，劇末由師大楊昌年教授講評，使得五十分鐘的劇「縮水」，實際只剩下四十分鐘左右。歷史劇之編寫，原本不易，如今又變相減少「篇幅」，不但無法滿足聽衆的需求，而對劇作家也相當不利。或許電台製播單位可以考慮，延長一些時間，俾益將歷史人物之故事，做完整的演出。

（註）本文發表後不久，「千古風流人物」廣播劇，已取消劇後之教授講評。

（八十年八月十二日立報）

「斷線的風箏」

——談蒙永麗的廣播劇

就一般戲劇的理論而言，一個劇本構成的要素，主要有四項：㈠主題、㈡情節、㈢人物、㈣對話。廣播劇亦然，只不過它著重在「聲音表現」上。即使沒有肉眼可見的有形舞台或佈景、光線，但仍須注意結構之嚴謹，否則與「廣播小說」何異？日昨漢聲電台播出「斷線的風箏」廣播劇，就是個例子，因爲它聽起來眞像廣播小說。

本劇由蒙永麗所編，內容描述敍事者——一個關心兒童的青年，護送因父母失和而離家出走的兒童——小凱回屏東的家。由於搭火車到屏東需要一段時間，便在車廂中回想起一個朋友的悲劇故事。這朋友叫董育奇（取音），是敍事者的同班同學，也是個缺乏親情滋潤的可憐蟲。當敍事者的旁白說明一開始，育奇因寡母嫁了一個壞脾氣的賭徒，而被母親送給走江湖賣藥的陳師傅。及後他脫離兒童期，因無法忍受養父的無理鞭打責罵，便離開養父，隻身到台北打天下。

經過若干年，育奇因遇上一位唱片公司老闆，爲他出唱片，使他搖身一變，成爲影劇圈的明星。有了錢之後，他接回二度守寡的母親及異姓弟弟瑞德，照顧他們的生活，並供弟弟讀書從高中到大學畢業，無奈育奇生活緊張，以吸食毒品、服禁藥維持精神及體力之事為雜誌刊出。女友彩玲（取其音）想與他分手，他變得性情乖戾。並猜忌弟弟，內心忿恨不平，怪弟弟占有太多母愛。

育奇自母親病逝後，他更變了個人似的，沈溺在酒家買醉消愁。加上他與唱片公司老闆鬧同性戀之事曝光，使他聲譽大受打擊，更提不起勁。後來瑞德好意到酒家勸他回去，他酒醉失手用敲破的酒瓶殺了親弟弟，被依過失殺人之罪下獄，落得在獄中懸樑自盡。

故事回到火車上，敍事者又回想起此行之前，曾請教一位教育專家，於是由這位專家說了一段語重心長的話，說明家庭和樂之於兒童身心成長之重要。最後，小凱看到許多人在放風箏，其中有一個風箏斷線飛走了。最後敍事者感嘆的說「希望每一個斷線的風箏，都能重回主人的手中」暗示：他把離家出走的小凱送回父母身邊，不要讓孩子去流浪。並呼籲做父母的，要接受婚姻專家的輔導，不要讓兒童生活在缺乏親情、及家庭不和諧的惡夢之中。

戲劇藝術的表現，為的是能喚起觀（聽）衆的共同情緒、感覺，進而間接抒發其情感，兼具教化意義。故最忌諱生硬的說教。準此，「斷線的風箏」劇尾來一段專家的話，與劇情無實質情感的相關，只有義理上的相關，有說教之嫌。按，以一齣五十分鐘的廣播劇，表現這樣劇情繁雜的故事，致時空壓縮不易，分別在育奇童年、青年、成年，三個點上，使結構更覺得鬆散。人物以七個左右為宜、而這戲出場人數計有十多個，把戲打散不說，易生混淆。尤其在育奇童年時，電台用成人女聲假音來飾演，我還以為故事主角是女的玉琪，聽到他成人時，才知道主角原來是男的。這一點盼電台慎重其事，改進爲要。否則，除非聽衆是「音盲」，不然不會連大人、小孩、男人、女人的聲音都分不清。

採那一種形式並不重要，重要的是能使劇情緊密聯結、展現靈活、生動感人的情節。要能在欣賞者不知不覺中，洗滌人們心靈的塵垢。若創作者站出來「說教」，就達不到良好的抒情功效了。

蒙永麗小姐專事劇本寫作，是國內少有的專業青年作家之一。除了廣播劇之外，另有舞台、電視劇發表。據說，她個人比較喜歡「廣播小說」，很自然的，有將廣播劇寫成類似廣播小說的風格。惟戲劇、即使是只藉由聲音表現的廣播劇，在把各種衝突組織起來時，有其不可忽視的結構，斷不可與廣播小說一般，不嚴格要求其緊密與否。

（八十一年七月三日立報）

「生命之歌」
——談李曉丹的廣播劇

社會在變，台灣這些年來，經濟比以前改善，許多問題卻相繼而起，其中人口年齡普遍老化，親子關係疏遠，許多老人到了風燭殘年，乏人照顧。「生命之歌」，便是一齣探討老人問題的廣播劇。

本劇描寫周宗德（人名皆從音）夫婦旅遊歐洲，到居歐朋友何太太家拜訪。適巧何太太接到台灣的來信，說她哥哥已成植物人，兒子滯美不歸、乏人照料。何太太便與周宗德夫婦返台，處理、照顧她哥哥。

周宗德陪何太太至老人院看望其兄，巧遇老情人業已守寡，又不與子女同住的孤單老人薛寶玲。一番互訴近況，又得周太太寬宏大量，允其同住，三人生活在一起，彼此照顧。

何太太之兄送入醫院後，她一人照顧不了，把在歐洲慕尼黑開中國餐館的兒子、媳婦都叫來台灣幫忙。不久植物人亡故，他在美的媳婦擔心簽證問題怕丈夫回不去，堅持不讓其回台盡孝。由何太太幫忙，花錢請儀喪社為其兄辦理後事。

李曉丹先生為知名作家，寫作數十年有矣。不僅是劇本，還包括其他文類之文藝創作。我身為後輩晚生，自然沒有資格評論他劇本的良窳。只願將聽完他編寫的廣播劇「生命之歌」的感想，在此與朋友們共享。

想想，誰人無父母？對於有生養之恩的父母，若不能克盡孝道，內心將多麼不安啊！所以，劇中那位植物人的兒子，早年承受父蔭，得以赴美發展，父親即將大去，他卻因經濟大權受制於妻，不得返台，眞是做人很大的失敗。比起這個不孝子，那遠從歐洲回來處理哥哥後事的何太太，可就顯得有情有義得多了。

恰巧，我丈夫也有一個與前妻生的兒子在美國，他自己年紀也老大不小。雖兒女並無不孝情事，但，聽了此劇，心裡很難過。

戲劇，如果只著重浮面的娛樂，而不喚起人們一點內在的省思，那麼其價值是相當有限的。「生命之歌」一劇，在中廣廣播劇團成員的全力合作，並戴愛華導播及李林、唐翔之錄音配音，使得全劇氣氛提起，劇力凝聚，引發我們深思，自身所可能面臨的老人問題。

如劇中人所言「人生難得：花常好，月常圓」，不管年老、年輕。最重要的是要顧好自己，務必保持健康的身體，如此，自己快樂，也不連累親人，親子間互無所求，每個人愉快的過日子，豈不也是人生一樂。惟有時，病痛老邁，不請自來。但只要堅強以對，即使在入暮晚年，仍可讓生命發光發熱。

（八十一年九月二十六日立報）

「桃花源夢醒時」

——楊天蕙的廣播劇評介

中廣公司每周六的廣播劇節目：「創作劇坊」，是我必聽的節目之一。此次播楊天蕙女士的「桃花源夢醒時」廣播劇，聽完之後，覺得有深刻的感動，特介紹如下。

就整體戲劇效果而言，要達到令人有深刻感動，並不容易，先說劇本：

㈠取材新穎：本劇以主人公李元凱的愛情故事為經，兩岸通婚問題探討為緯，架構出嚴緊的一齣戲來。述說李元凱到大陸湖南常德的「桃花源」風景區旅遊歸臺後，進入一家房地產銷售公司工作，巧遇大學時代初戀情人周如珍，雖然兩人都未婚，但元凱因心裡對大陸的「臨時導遊」莊錦華，有一份幻想，希望娶一個單純，願意在家乖乖侍候丈夫的大陸新娘。所以常常舊地重遊，以便去看莊錦華，幾經波折，主要是錦華的母親，反對她嫁到臺灣，怕她不能適應此地生活。最後元凱娶不成出生在「桃花源」的女子，「夢醒」後，發覺自己對如珍仍有愛意，且像如珍這樣與自己生活經驗相似的女子，才是合適的結婚人選，於是轉而積極再追求如珍。

㈡背景有深意：按「桃花源」衆所週知，乃晉朝文人陶淵明詩中的仙境，不管是否眞有那個地方，桃花源這三個字本身就給人，一個虛幻縹緲的印象。以它當背景，象徵，娶一個傳統乖乖的大陸老婆，雖然是許多臺灣未婚男士的「新主張」，但實際上眞要那麼做則困難重重，所以，那種想法，畢境是如同桃花源一般虛幻縹緲的呀！

㈢對話流暢：廣播劇不像舞台劇那樣，可以靠肢體語言，把沒有對話部份的戲演出來，所以除了音效，對話的重要性比之舞台劇，當然就更加重要了。楊天蕙女士從事廣播劇劇本寫作有年，她本身又曾服務於教育廣播電台，算得上是資深廣播界的一員大將。她的劇本對話之流暢，絕非初習寫作的後輩晚生所能及，因爲那是十年，甚至二十年寫作經驗累積，慢慢形成的。惟在那場莊錦華母女對話中，出現「妳一定又是跟人亂『蓋』了」，談到莊錦華在向臺灣遊客，介紹風景名勝時用『蓋』的。按『蓋』這個字是由台語而來，兩位大陸同胞可能在交談時，使用這樣的語彙嗎？執筆寫作廣播劇劇本，不可不留意在使用語彙時，配合劇中人的時代、地域、風俗習慣……等。或者這是本劇唯一百密一疏的小瑕疵吧！由於瑕不掩瑜，所以我們仍肯定本劇。

最後，一齣劇的成敗，端賴全體演職員及導播的手法是否合宜。這點中廣的侯穎導播，把整體氣氛掌握得適如其份，讓聽衆的情緒跟著劇情起伏。大部份的演播人員，都相當稱職，例如演男女主角的張東光先生、魏德瑜小姐格外討喜。演女主角如珍母親的戴愛華女士則穩健自然。總之，我們樂見「創作劇坊」的演播，尤其喜愛新穎的題材。也願用「深刻的感動」來期許聽衆並中廣廣播劇之工作人員互勉。

（八十一年七月八日立報）

「天涯歸客」

——廖筱潔的廣播劇評介

曾幾何時，移民美國，成爲許多人心中的夢想，以爲拿到綠卡，做個美國公民是「光宗耀祖」，極有面子的事；揆諸事實，美國到底不如國人心目中想像人間樂土，也有許多黑暗面；並不是每個人都適合美式生活，於是旅美的中國人，儘管滿腔歸國思想的悲苦，又能訴與誰知？劇作家廖筱潔女士，藉「天涯歸客」這齣廣播劇，剖析國人的移民情結，使人聽完，不禁慨然有：「金窩銀窩確不如自家的狗窩」之嘆。

劇中女主角劉美惠，生長在一個經濟條件還不錯的家庭，大學畢業後與男友羅福明，雙雙到美留學。不料福明的條件無法滿足美惠母親的要求。善良又沒有主見的美惠，便服從母親，另嫁有綠卡的華僑莊家華，準備等拿到綠卡後爲弟弟小翔，妹妹小雲到美深造鋪路。由於美惠的母親，虛榮的偏見，使美惠付出極高的代價。

家華是美國某大保險公司的高級職員，早年曾在台灣承受了一些不公平待遇，所以對台灣存有偏見，觀念相當美國化。美惠遵母囑，放棄心上人福明，嫁給家華後，生活過得並不快樂，主要是兩人觀念不同，社會價值觀及人生觀互異。及待一起生活七、八年後，彼此愈來愈瞭解認同時，家華某日在路途中，突遭黑人搶劫，身中四槍，不治而亡。臨終時交代護士，要美惠偕女兒小惠，回臺灣定居，不要再留戀治安日益惡化的美國。美惠在美國的生活苦悶，幸得好友素琴精神鼓勵相扶持。返台後，母親看到美惠已成爲寡婦，終於悔不當初，後悔不該逼女兒，一定要追求美式生活，犧牲了她的婚姻幸福。另一方面，美惠也從同學那兒得知，老情人福明也已娶妻生子，事業有成，遺憾之餘，內心不勝欷歔；感嘆自己走了這麼一場，才得以成長，今後勇於作自己的主人，不再受母親擺佈。

的確，成長是需要付出代價的，只是，用一個女人的婚姻幸福，來換取些許了悟，這代價也未免太大了。

廖筱潔女士是編劇的老手，即使是短短的五十分鐘廣播，亦足見其功力之一斑。本劇採「蒙太奇」式穿插倒敘，現在式與過去式，輪流進行。時而回憶過去，或用夢的方式交代，時而發展未來。劇情安排均妥貼切要。這種手法非經驗成熟的編劇，不容易駕馭，往往變成弄巧成拙。

廣播劇沒有具體的畫面，一切要靠聲音表現。如果，時空轉換太快，而未做適當過場之提詞或交代，則聽者容易摸不著劇情，而聽得糊里糊塗，不知所云。這就是編劇的責任了：例如，在家華去世消息傳來那一場之後，緊接著就是美惠帶未婚夫，到好友素琴打工的地方找她。這本是倒敘，那個未婚夫與上一場死去的家華是同一人。但我第一次聽，以爲美惠，在丈夫死去之後立即找到一個未婚夫，等到聽了第三次之後，才弄清楚，是同一個人：像這種時空轉換，至少要有點暗示，免得聽衆一頭霧水，編劇也省得落到吃力不討好的地步。

值得一提的是，劇中飾演美惠的戴愛華女士，演出相當成功。何以說她成功？因為，近年來她在廣播劇中，多半演中、老年婦女的角色。此次演年輕女子，竟也「風韻十足」。分析她的聲音表情，年輕女子與老婦人之間，音質同樣甜美，而年輕女子的表情則去掉那層老成；而多了一點嬌羞與任性。不知聽衆朋友，有無發現這其中的差異與趣味？

戲劇可以抒發情感，洗滌鬱積的塵垢，啓發吾人內在優良的本質。是以，在聽了旅美華人美惠的遭遇之後，準備移民美國、或已有子女親友在美的朋友，能無動於衷嗎？或者，在我們週圍，就有許多如美惠這樣的「天涯歸客」呢！

（八十一年十月六日立報）

「青山依舊在」

——談葛大衛的風格

也沒有特別留意，常常聽聽多了自然發現，中廣公司的葛大衛先生執導的廣播劇，總有一份說不出來特殊的感覺，那是別的導播所沒有的，一種精神——強調之曰：求新求變的創作精神。今舉「青山依舊在」爲例，試管窺葛大衛風格之一斑。

趙安是個用情專一，又頗明理的女子。大學畢業後在朋友開的服飾店上班，她的男友克華工作忙碌，無法常陪她，因此她常找同學程少東聊天解悶。

某日，克華騙趙安說自己要去中部出差，卻與另一女友到館子用餐談情說愛，適巧莉莉（趙安的同學）與趙安，亦在同一家館子吃飯。至此，趙安想安安穩穩，當個幸福的家庭主婦的美夢粉碎。有句話說：「上帝爲你關閉這扇門，必定爲你開啓另一扇門。」

的確，初戀受挫的趙安，轉而在事業上求發展，與同事莉莉合夥自己當老闆，開起咖啡館兼賣餐點，生意做的不錯。此時，男同學程少東，亦因當兵女友變心他嫁，時時寫信給趙安。兩個本來各自有男女朋友的一對普通朋友，彼此經過一場失戀的痛苦經驗，在互訴衷曲之餘，愛情不知不覺的滋長，而終究成爲相愛相憐的戀人。其關鍵在趙安寡母病痛住院、死亡辦後事時，少東都正好幫上忙，且及時給予趙安精神支持。雖然少東從未說過一句「我愛你」之類的肉麻話，由於他種種「愛的實際表現」。當他退伍後考上教師資格，搭火車往花東任教之際，趙安在與他道別後，依依不捨，又跟著上火車，以示她接受少東的「未明言」的求婚。

這是一個平凡的愛情故事，在葛大衛先生的導播演播之後，卻能點石成金，使平凡的男女之愛，也能深刻感人。感情之於人生，原本就是可大可小，存乎一心的事。嚴重的可能沮喪、甚至自殺，看得開的，也可能表現得似乎什麼也沒發生過一樣。可以肯定的，感情的順逆對人的生活，必然有某種程度的影響。「青山依舊在」把握住這個重點，把一對普通的男女同學，如何轉化成相知相惜的愛侶，描寫得生動自然。雖劇中人繞一大圈，才知道原來彼此才是最合適的一對，這一段歷程卻換取聽衆的無限同情。

「青山依舊在」藉著劇中人的戀愛過程，闡述：一次的失敗並不代表永遠即將失敗，應該向前看，珍惜自己所能擁有的，不爲過去的失敗自艾自憐。那麼幸福就在你身邊。

風格，非一、兩日形成，葛大衛先生秉持一貫的創新、求變精神，使得經由他導播的廣播劇，無不妙趣橫生。歸納其特點有：

㈠能扣緊時代動脈，絕不陳腐。

㈡寫情自然生動，勇於「實驗」。

㈢取材平實卻能在平凡中見眞情。
㈣常富逸趣——對話鮮活、極具生命力。

（八十一年十二月十一日立報）

「嫦娥下凡」受難記

——談卡通化的廣播劇

后羿射日及嫦娥奔月，本是中國傳說已久的淒美故事，雖爲神話，卻美感十足，是以唐朝詩人李商隱，有詩「雲母屏風燭影深，長河漸落曉星沈；嫦娥應悔偷靈藥，碧海青天夜夜心。」實在優美極了。不料，教師節前夕，中廣「創作劇坊」卻播了一齣「嫦娥下凡」的廣播劇，把嫦娥寫成爲了糊口，流落風塵陪酒賣笑的酒廊小姐，眞是把這位天仙美女糟蹋得近乎殘忍，所以我在劇名下加了受難記三字，來形容她的窘境。

超越時空、常理，本劇主敘嫦娥奉玉帝聖旨，下凡至蓬萊仙島（台灣）與后羿再續情緣。當她到台北卻爲了謀生，而糊理糊塗的到何阿姨開的酒廊當陪酒小姐。適巧后羿當選民意代表，在那個酒廊宴客慶功，巧遇嫦娥。結果，當場兩人一見鍾情，立即結婚。

婚後，后羿因花柳病復發，不能行房，他偕嫦娥到美國做人工受孕，期間還會見登月太空人阿姆斯壯。及後返台，嫦娥產下一女，名曰珍珠，不料卻是個藍眼珠的洋種。

幾年後又到選舉期間，后羿競選失敗，且因賄選被警察抓走。財產也因買票致破產。嫦娥在傷心落淚之時，女兒珍珠說話了，原來她是月宮裡的玉兔投胎的。兩人便服下仙丹，再飛回月宮了。

編劇張雪芬，眞是異想天開，把嫦娥寫得這麼慘，這麼不堪。全劇動用十幾個演員，充分顯示編劇者的經驗不足。劇情中有許多情節，如后羿說自己在立法院打架。女候選人珊珊（嫦娥的酒廊女同事）競選時穿透明衣服、賣檳榔……等，一聽即知是拿新聞時事來影射。這些時事並非不可入戲，只是應該給予有機組合，重現出戲劇性感人的生命。

本劇中的情節，使聽者往往有「天外飛來一筆」的突兀，即鋪排不夠嚴密，出場人物太多，戲份不集中，致結構鬆散，使人覺得如同（聽）看卡通一般，太多情節不合情理了。例如：戲中嫦娥按說是駕著雲彩下來的，必屬道家仙界。她的道行再低，就算不會高深法術。飲露水，吃花（種）子度日的本領難道也不會嗎？何必一定要去當陪酒女郎，大煞風景。

究其實，本劇表面講嫦娥的故事，骨子裡想控訴的是，台灣社會的不健全，以至有民意代表關說、買票，酒廊色情業大興……諸多光怪陸離之現象橫生。編者本意雖好，惜技巧欠成熟，只有更待來日了。唯，劇情雖卡通化了，反而有異趣產生，適合兒童口味。我那五歲的兒子，因爲中秋節時老師已跟他們說過嫦娥奔月的故事，他聽到「嫦娥下凡」這個廣播劇，歡喜異常，百聽不厭（我有錄下廣播劇的習慣）。他尤其喜歡中廣飾演小孩的吳一璣（取音）女士，演的玉兔。每次聽到她的聲音，就興奮的跳起來，說，「小白兔來了，小白兔來了。」我從未見他如此喜歡過一齣廣播劇，或者，本劇的導播葛大衛先生，是故意要以本劇爲「實驗」，做一些新嘗試，應用有別於一般手法，給聽眾「耳目一新」也未可知。

（八十一年十月三日立報）

「生命悲歌」
——小說與廣播劇的異同

小說與戲劇是有些不同的；不知何故，漢聲電台的廣播劇「漢聲劇場」時間，播出名為「生命悲歌」的故事，卻是將廣播小說當成廣播劇來播，眞令人費解。

「生命悲歌」以第一人稱敘述觀點，利用獨白連串情節，寫一個少女侯志雲（姓名均從音），從幼稚任性，到成熟世故的過程。

由於志雲之父侯如海，從事情報工作，居無定所，加以生活困頓，所以將志雲寄養在外婆家。等外婆亡故，志雲才被接回父母身邊，又侯父常不在家，志雲心裡總認為父母虧欠她，導致她性情乖張蠻橫。

就在志雲二十三歲那年，侯父返國未直接回家，卻先與老情人，也是以前一起從事情報工作的同事秋蓮，一起在高級餐廳用餐，適巧被志雲遇見。志雲因先前被不肖男同學奪去處子之身，又見父親有別的女人，對婚姻不抱任何希望，也對男人心存怨恨在不知情的任性下，志雲用母親辛苦跟會，準備治療青光眼的錢，到法國去留學，希望能在法國時裝界，闖出一片天下。

到了法國，志雲承受許多挫折，但終於克服諸多困難，而打出一點知名度，侯母卻因眼睛未及時治療而瞎了眼。侯母眼瞎之後，竟發揮中國傳統婦女的美德，自動提出願與侯父離婚，成全他和秋蓮這對因戰亂而失散的情侶。侯父再婚不久，因車禍癱瘓，話都不能說，幾乎成了植物人，此時全靠秋蓮細心照顧。志雲方體悟出母親離婚退讓的心境。開始同情父親及秋蓮。兩年後侯父死亡，秋蓮不久也肝病而死。志雲則老大不婚，陪伴母親過餘生。

就廣播小說而言，這個故事雖不甚動人，卻也無什可議之處，若要把它歸爲廣播劇，實在是內容與形式扞格不相容，顯得鑿枘之至。最主要是廣播劇的對白，不允許獨白太多，小說則不忌。

戲劇的獨白，一口氣來一大段的情況也有，但，那得視劇情需要。多半用在劇中人情緒失控，甚至瘋狂時，才合乎戲劇理論，而不會使劇情遲滯，或平面化。

例如，莎士比亞的名劇「李爾王」（King Lear）中第二幕、第二景（荒原的另一部分、暴風雨繼續著）那一場。莎翁用一大段獨白寫主人翁，李爾王心中對不孝女的憤懣，在劇情的推展下，顯得多麼驚心動魄。

類此，郭沫若在「屈原」一劇中，屈原因受人陷害，被囚於東皇太一廟時，手足帶著鐐銬，向風及雷電獨白那一場，也是一大段，充分表示出屈原愛國蒙冤的慨嘆。

獨白，尤其是一大段獨白，若只在交代故事，利用人稱來敘述，那是小說的技法。戲則用人物來「演」出來的，斷不是「說」出來的。廣播劇的敘述者，當然可以「說」一些的，但，說了好幾大段則不成其戲，而應歸諸小說才對。盼漢聲電台不要忽視形式與內容之配合。否則，這樣把小說當成戲來播，讓聽眾感到奇怪之餘，豈不也是廣播劇的「生命悲歌」？

（八十一年十月十五日立報）

痴男怨女的嘆息

——「贖罪」廣播劇評介

倫理親情大悲劇，在中國戲劇中，占有很重要的分量。「贖罪」便是一齣以親情爲主軸的廣播劇，由於題材乃垂手可得的家庭瑣事，聽起來備感親切，但字句間，隱隱然泣訴著人生的無奈。

劇中何陳杏春，生長在清寒家庭，誤信媒婆巧言，錯嫁有錢人家的公子哥兒。丈夫鎭日在外花天酒地，家產敗得只賸兩間店面。一間是米店，叫她守著；另一間免費借給已出嫁的妹妹使用，俾可就近監視杏春。

果然，杏春恨丈夫不成器，對她不好。基於本身情感之需要，也爲了報復丈夫，她與米店的出納員俊良，有了婚外情，而被小姑舉發。就在她懷了俊良的孩子，即將生產之某日，她丈夫確定了她的出軌行爲，酒醉責打她，使得她早產生下身子虛弱的國修。更不幸的是她丈夫從此跌斷了神經，成了日夜要人侍候的中風病患。俊良也在此時捲款潛逃。

這一病就是三十年。三十年來，杏春細心照顧丈夫，任其責罵，雖有長子國平，長媳小方，及女兒宜萱要盡孝幫忙照料病人，但，她丈夫一點也不允許他人取代杏春來照料他。只要別人作了杏春的工作，他就會大發脾氣，要杏春向他道歉，擺明是要折磨她。而杏春也只好如此痛苦，過著「贖罪」的日子。

好不容易丈夫歸西，不再折磨她。無奈，她與俊良生的兒子國修，卻得了大病，需賴換腎才得以重拾健康。杏春三十年來，表面上對這個喚起她失貞記憶的兒子仇視，但在良心不安，與羞愧自責的心態下，她隱藏母愛一直未善待他。使他離家出走，過苦日子。如今國修染重病，杏春急了，母愛也因而釋發，到處想辦法好給兒子換腎。

在杏春姊姊的熱心安排下，杏春與俊良重逢。得知當年，是杏春丈夫逼俊良把十萬元米帳送去還賭帳，並叫他離開，離杏春遠一點。而不是俊良「騙財騙色」之後逃走。兩人的談話，解開杏春幾十年的心結。最後，俊良捐腎給實質上是「他自已的兒子」國修。而杏春則讓國修認俊良爲義父。一對情侶，在歷經數十年的恩恩怨怨，到最後也只能相對嘆息了。

中廣頻道在播出此劇時，工程部似乎出了一點問題，使得節目停止約一分鐘左右，並且有迴帶，及重覆的情況發生。這意外的「故障音效」，是我收聽廣播劇二、三十年來，首次聽到的，希望下不爲例。

略去工程的小缺點，「贖罪」算是頗有深度的戲。雖然題材平凡，故事老舊，但，對話眞摯自然，惹人同情。把遇人不淑的杏春給塑造成，敢愛敢恨，恩怨分明的勇敢女人。將她一生受困於婚姻的血淚情事，娓娓道來，如泣如訴，悲切而深刻。

婚外情，乃受社會道德所質疑的不健全感情，近代社會道德標準日益低落，婚外情不再像古時候那般，被視爲「毒蛇猛獸」一樣防範著。以年輕人的眼光來看，杏春必屬舊社會傳統型婦女。否則，現代女性勇於追求自我，追求卓越。對婚姻往往抱持「你對我不仁，我自然不義於你」，壓根兒不會有「贖罪」的想法。

「贖罪」這齣戲，不管在情節，角色安排……等技術方面都沒什麼可議之處。甚至，對話方面還出現感人至深的言語。唯獨在觀念上固守傳統，無法賦予這時代的精神，實乃一大遺憾。

一般女人總有一個觀念，認爲女子婚後守貞潔，是爲了對她的丈夫忠實，如果與丈夫以外的男人私通，便是對不起丈夫。

須知，女人守貞潔，主要並非全爲了丈夫或其他人，而是爲了她自己。此話怎講？因爲身體是靈魂的器皿，當靈魂住在身體裡，也就是人還活時，身體就因爲靈魂的存在，而與靈魂一同具神聖之屬性。一但失貞，靈魂必然開始受苦而漸失靈性，人也必然如置身地獄般生不如死。是以，貞節烈女遇歹徒強加施暴，若無法逃脫，必自盡使靈魂與肉體分離，而自救不致受辱。

再說，女人也是人，擁有獨立思考之能力。丈夫只是在生命中，與她一起生活的男人而已，並不是她的主人，或支配者。如果妻子不願意行房，丈夫強行施暴，雖有名分在，也是一種冒犯神靈的罪行——至少，他犯了不尊重妻子的過錯——輕者夫妻不和，糾紛連連；重者破家身亡。

站在中國人的立場，我們樂見中廣劇團，本著固有傳統精神來錄製廣播劇。若顧及時代要求，及觀念的更新，則，只是守住固有傳統精神，那是不夠的。我們期盼中廣廣播劇的工作者，尤其是編劇家，在創作過程中，不要只停留在技術層面，勇於向觀念創新及品質提昇邁進吧！有一群靈性特高的「廣播族」朋友等著呢，所有努力都將累積成勝利的冠冕。

（八十一年十月二十三日立報）

「走過雙十」

——談歷史廣播劇

雙十節，人們都十忙於如何安排這難得的假日，鮮少人願多細究其歷史意義。中廣特於雙十節，用國、台語分別在不同頻道，播出「走過雙十」廣播劇：除了配合節慶，也引發人們，回首戰亂歲月，當思珍惜現在之太平日子，實得之不易。

民國三十七年，國、共兩黨和談失敗，三十八年大陸淪陷，共軍在是年十月十七日攻佔廈門。「走過雙十」主述當時留守廈門的國軍師長——孟恆昶的英勇事蹟。

戲一開場就炮聲隆隆，共軍攻入廈門，師長孟恆昶爲了將妻兒送往臺灣避戰禍，任請副官岳崇福，改名換姓假裝自己的弟弟孟恆福，以便以親兄弟的身份搭船護送。

恆昶因物質、人力缺乏不敵共軍，準備舉槍自殺之際，被共軍拘捕淪爲戰犯。在共產黨的誘勸之下，恆昶仍不願加入解放軍，於是被判往北大荒勞改，服刑二十年，吃了不少苦。

三、四十年來，副官岳崇福，自臨危受命於孟師長之後，一直替長官照顧孟家妻小，並爲孟家二老送終，也一直沿用孟恆福這個假名。有一天，大陸誤傳孟恆昶已亡故，崇福爲了在自己老死後，有臉面見祖先，才改回本姓。

經過幾番周折，恆昶於兩岸開放探親之後，回到臺灣。見了當時的副官，兩人都已垂垂老矣，孟家也有了第四代子孫，眞是往事不堪回首。恆昶並帶回崇福家鄉尙有親人在的消息，於是，當場叫孟家第二代擇期陪崇福回家鄉探親。

要求劇作配合史事、政令、節慶……等鐵一般的事實，以這些題目來編劇是不可免的社會需求，但，老實說，這種戲最不好寫。就像把技術舞藝均稱一流的舞者，手腳綑綁，丟上舞台，讓他面對觀衆，然後對他說：舞吧！使出你的全力，讓人們看看你優美的舞姿呀！

四、五十年，在歷史的眼光看來，或者不值一提。然，翻開中國近代史，這四、五十年來，情勢有太多太多的變化。任誰也不知道我們中國，未來會是怎麼樣的一個局面，過了今年的雙十節，還不知明年的雙十節會怎麼過。

猶記我的啓蒙師，故師大國文系教授張起鈞教授生前，常告誡我「你們這些孩子，一碗飯長大的，當知惜福、惜物呀！」要我珍惜物資，不可浪費。

所謂「一碗飯長大」的，就是指未經戰亂絕糧之苦。的確，戰爭對年輕人而言，往往是令人不管、也不會有一絲動情的歷史名詞罷了。更令人憂心的是，有些更年輕一輩的孩子，不是「一碗飯長大」的，而是「拒絕吃飯」長大的。他們生活優裕，食則求其精美爽口，以更美味細緻的菜來代替米飯。更甚者，不吃飯只吃菜，或只吃零食。

不管社會國家局勢如何演變，人情義理是恆久不衰的。過去的戰事雖已成爲歷史，留下的不僅僅是一段記錄，或許多用做歷史教材的資料而已。那更應該是寶貴的經驗、教訓，足以傳承後世，引以爲鑑的。我們樂見中廣電台，用心製播如此兼具社教、國族大義、及藝術性的廣播劇。只希望能將劇中人物，寫得不僅豪氣干雲，英勇犧牲，固守節操；也多注入一些讓民衆比較能接受的血肉及人性表現；讓他們靈氣活現，即使有點小缺點、小過錯也無妨。不要再如劇中副官那麼「偉大」，並過份「神化」了。突破善惡分得太明顯，人物性格過分死板的僵局，廣播劇的遠景指日可待。只要不放棄努力，毋須等到明年雙十，自可抓住更多聽衆的心。讓他們在厭煩浮濫的電視劇之後，守候在收音機旁，「洗耳恭聽」。

（八十一年十月二十四日立報）

「這樣的藍天真好」

——談廣播劇的配樂與音效

人有三魂七魄，一但失魂落魄，再貌美的人，也會失去他原本應有的光榮。配樂與音效之於廣播劇，正如魂魄之於人類。合宜的音效、配樂，可以使得原本感人的劇情，更加具有震天駭地的聲勢；不合宜的音效、配樂，必然凍結劇力，破壞戲劇應屬的基調，使聽衆產生怪怪的、不順暢之感。例如復興電台播出「這樣的藍天眞好」廣播劇，便有這方面的問題。

按，「這」劇寫兩對戀人間的三角戀愛，當劇中人找到情感的歸宿後，仰望天空，不約而同有「這樣的藍天眞好」之感。並配合光輝的十月節慶，安排其中一對，留美學人大衛、羽書最後決定，回台定居。原居台灣的花心電影博士禮凡，也結束長期的愛情漂泊，與羽書的表姊美美，訂下婚期。

就意境上言，編者以「這樣的藍天眞好」的心境，描寫劇中人開朗達觀的人生態度，並暗喻我們國家的安和樂利，立意甚佳。可惜演播人員，聲音表情不夠豐富、老練。氣氛凝聚不起來。所選的過場音樂，都極典雅優美，但缺乏適切性；亦即與該劇的基調氛圍不合，無法使聽衆者產生共鳴。

特別在禮凡與羽書於海邊談話時，海風聲及浪聲不斷，回音量與人聲相近。形成一種聽覺干擾。其實，海浪、海風並不需持續混在人聲中，若一定要持續著吹海風、滾巨浪，聽衆怎麼聽得清那兩人說些什麼？正如彈鋼琴，左手伴奏需輕聲的道理一樣，記得我初學鋼琴時，啓蒙師總叮囑我：左手（有時是右手）是伴奏，音要儘量壓低，絕對不可太大聲，蓋過主旋律。同理，配樂也是扮演陪襯的角色，切勿對人聲造成干擾，像海風、海浪之類的配音，最好是先來一下清晰的聲音，然後音量時大時小，若有似無即可。

又，大衛打越洋電話給羽書，劇情是大衛在電話中的聲音，與羽書現場聲音對談，無奈，電話中的音效，一點也沒做出來，反倒像在隔壁房間說話。雖這只是小地方，但，連這許多小地方都忽略，整體就更不用說了。

撇開以利爲主導的廣播連續劇不說，復興電台的廣播劇，是國內繼中廣、漢聲、警廣之後，最有發展潛力的電台之一。我們願深切期許，復興電台只要稍加用心，必可播出更精緻、高品質的戲。

（八十一年十月二十七日立報）

「撲滿媽媽」

——談廣播劇的分場技巧

父母難爲自古即然，子女管教不易，在單親家庭中尤見問題叢生，備感艱難。中廣播出的廣播劇「撲滿媽媽」，寫的是單親家庭的甘苦，及趣事。

高家太太可音，年輕守寡，五年來在男友張大鈞的小型廣告公司擔任企劃維持家計。女兒已上國中，頗爲乖巧；長子俊達則失之管教，留戀電玩；次子俊琦，更是成天在學校闖禍，與同學打架。可音的工作能力佳，被大公司挖角，任高薪的總經理職務，卻更沒時間照顧兒女們。在可音忙於工作之際，大鈞常撥空代爲照顧她的兒女，並彼此建立起情感，在三個兒女的體諒、敲邊鼓之下，大鈞終於向可音求婚，這家人於是又有圓滿的家庭生活，比以前快樂又幸福。

編劇別出心裁，安排俊琦因闖禍被扣零用錢，沒錢買生日禮物，而以作文簿中一篇題名爲「我的媽媽」的作文，當作送媽媽的生日禮物。文中談及他媽媽可音，總是撿一家人吃不完的剩菜吃。吃得一天比一天胖，就如同撲滿一般，所以叫撲滿媽媽。

爲文貴在能創新，編戲也一樣：愈能別出心裁，愈見其才華。就劇情、選角、配樂……，等本劇都屬上乘之作。唯獨在分場方面，編劇卻忽略了。全劇用的是電視劇的分場手法。也就是場次過多，每一場都不長。甚至一場只講兩、三句話。這在電視劇中，可充份運用鏡頭之轉換，俾使觀眾，享受豐富的視覺樂趣，絲毫不影響戲劇之正常進行。

然而，廣播劇一般是用音樂分場，在過場時，就放一段音樂。苦是場次短而多，非但不會像電視劇一樣，有豐富的視覺美感，帶動劇情。反而，削弱劇力，阻礙劇情之順暢進行。試想，在一齣廣播劇中，若講三、兩句話就來一小段音樂，聽眾每當心裡要起共鳴之際，又忽然被音樂攪亂了。心情上難免不起疑，究竟自己聽的主要是戲？還是音樂？

兩、三句話當一場，在廣播劇中也並非絕對不可出現，但，那是有條件的。多半用在劇情起伏大，或情況危急。這種「短場」，尤其忌諱連續使用，即使「撲滿媽媽」這種溫馨，略帶喜感的活潑廣播劇也不適合。

（八十一年十月三十日立報）

「夢裡星光」

——談倫理的廣播劇

有首童謠，「世上只有媽媽好，有媽的孩子像個寶。投進媽媽幸福的懷抱，……沒有媽媽最苦惱，沒媽的孩子像根草……」

上帝賜給每個孩童：一位守護神，她的名字叫母親。然而，並非每位守護神，都是那麼的「盡忠職守」；像未婚媽媽，常因環境所迫，須拋棄懷胎十月所生下的骨肉。「夢裡的星光」廣播劇，便是這樣的一齣人間悲劇。

羅碧蓮未婚生子，男友逃逸，她產下心臟不好的男孩宗宗。迫於環境，碧蓮把宗宗放在古奶奶開設的孤兒院，自行離去以謀生計。後來嫁了個生意人，奈何遇人不淑，作生意失敗她只好下海伴舞，丈夫又把她的錢騙走，一去不回。此後，碧蓮過著醉生夢死的日子；供養吃軟飯的無賴小侯。

宗宗心臟病惡化，若不換心，則小命難保，宗宗連日夢見媽媽，穿著潔白衣服，在星星上向他招手。同院裡另一個喪父孤女明明，是宗宗的好朋友。因寡母在孤兒院服務，也住在孤兒院中。明明因車禍眼睛失明，等待有人捐贈眼角膜。

爲了讓宗宗臨死前能再見他媽媽一面，古奶奶與院裡老師到處打聽碧蓮的消息。好不容易找到碧蓮，不料她不肯認兒子。及後宗宗得到車禍而亡的少年，捐贈心臟，可惜新心臟維持不久，產生排斥現象。在彌留之際，碧蓮終於趕到醫院，宗宗在臨死前，見到如「天使般」的媽媽。碧蓮眼見兒子死去，懊悔以前的一錯再錯。

明明獲得宗宗遺贈的眼角膜，眼睛重見光明；碧蓮也決定放棄以前糜爛的生活，在古奶奶的孤兒院工作，過另一種新生活。

還記得有一回，我在立報「廣播族」版，建議漢聲電台，不要再用成人假聲錄兒童的戲。製作人牟希宗先生，採納我的建言，錄本劇時果眞起用新秀童聲，純眞自然的童聲，勝似天籟，悅人聽聞，可喜可賀。喜的是，我奉獻心力爲文直諫，心血總算沒有白費；賀的是，聽衆朋友因而可以聆賞更精緻的廣播劇了。

經由「夢裡的星光」，我們不禁要自問，在周圍存在著多少，像劇中宗宗、明明這樣苦命的孩子？而我們又幾時發揮過，「幼吾幼以及人之幼」的精神，給于他們及時的幫助與關愛？

以前如何並不重要，重要的是，而今而後再不或忘，有許多像宗宗、明明一般家庭不幸，或無父、無母的孩童，正等著我們伸出援手。只要我們出一點心力，幫助他們，讓他們感受世間人情的溫暖，那麼，苦命的孩子們，再也不必將希望寄託在遙不可及的夢裡了。只是，現今社會緊張，生活壓力大，人人往往自顧不暇，又有誰去拂拭孤雛的眼淚？

（八十一年十一月四日立報）

畫框裡的紫玫瑰

——性格悲劇的產生

人生的事件，不是出於命運，便出於性格。正常人大多做自己喜歡且無害的事，明知不利而爲之的行爲，非怪命運，是屬性格。因爲性格上的弱點，而引發衝突、不幸的故事，是謂性格悲劇。以人物性格構成的戲劇很多，如莎翁筆下的「哈姆雷特」、「奧賽羅」、「馬克白」……等名劇。近日於中廣頻道播出的「畫框裡的玫瑰」廣播劇亦屬之。

是劇敘述一爲人極愛面子的嬌嬌女紫玫，從小對每一件事，都相當認眞執著，在學校總是拿第一名、得獎狀。父、母親友甚至妹妹紫蘭，均引以爲榮。不想，她在大學畢業後，嫁給商業鉅子文富，卻因爲個性不合，迫於愛面子，而維持一個表面上幸福，實質上毫無生氣的失敗婚姻。紫玫有一要好同學琦玉，在婚後仍親密交往，致文富與琦玉暗中往來。有一天，琦玉至國外採訪新聞回國後，特別打電話向紫玫鄭重道歉，說自己太忙，無法至醫院探望文富；又娘家親人也從文富住院的醫師朋友口中聽到，文富出車禍的消息。而且那名不太認識紫玫的醫生還對紫玫的父親說，文富及紫玫小倆口相當恩愛。紫玫終於明白，原來丈夫住院了，自己竟一點也不知道，那在醫院中照顧文富的其實是琦玉。

凡事認真的紫玫，跑到醫院與丈夫吵架，文富卻一點悔悟之心也沒有，只是冷嘲熱諷。她一時想不開，竟爲了讓文富「一輩子良心不安」，而自殺身亡。當紫蘭在悼念亡姊時，不禁回想起，在亡姊新婚之初，有人送了一幅紫玫瑰的油畫。遂感嘆亡姊就如畫中之紫玫瑰一般，艷麗而多刺，而愛護他的親友們就好比那圍繞周圍的畫框，可嘆卻因婚姻不順利，就把她自己傲人的身子給毀了，實在叫人扼腕痛心。

中廣的劉小梅小姐，是位很能入戲的好演員。由她演出劇中紫玫一角，特別令人進入劇中人的心境，引起深刻的同情。就心理學上講，紫玫的自殺，是一種過當的自我防衛方式。她自以爲只要自己死了，文富會「一輩子良心不安」，這種想法非但不正確，且是一廂情願愚蠢之至的。所謂留得青山在不怕沒柴燒，一次婚姻失敗，並不代表再次婚姻也會失敗。況且現在離婚的人太多，已不足爲奇。再說，文富或者一時會覺得，爲妻子之死而不安。但，換一個角度說，紫玫的死，對他而言，可說也是一種不愉快的關係的解脫，他只是不再愛她，並未犯了什麼不可原諒的大錯，等事過境遷，誰還會老是去想這件事呢？紫玫要想不開，他又能奈何？

當然，文富與妻子的好友琦玉要好，對紫玫而言是很大的刺激。只是爲了這樣的兒女私情便自殺，也未免太不值得了。她死了，受傷害的是她父母親友。我們聽之，可以給予同情的理解，卻不可能被她感動。

就戲劇的理論而言，性格的產生不是偶然的，不是特殊的，個人的，也不是由於生理上的原因決

定的，而是取決於人物所屬的階層。當然，這其間也有一些例外。不過一般可用一個公式來表示

階層地位↓生活環境（社會的、家庭的）↓人物性格↓人物的行為

以此公式分析劇中人紫玫，可發現她之所以有自殺的行為，主要是因為她本身的性格。她的性格，則由生活環境所造成。例如，她婚後不愉快回娘家久住，她母親非但沒有細細開導，指引她尋求屬於自己理性的生活，她生活環境所以如此，主要是由於其所處之階層地位，父母極愛面子，自以為是大戶人家，卻沒想到自己的死愛面子，卻害得女兒活受罪，甚而選擇自殺。紫玫之死，最主因仍在於她的性格弱點。如果她對人生的不如意，社會壓力妥於因應，對不盡完美之處，能放輕鬆心情，不要凡事太認眞，把自己繃得太緊，就不會連退路都不給自己留著了。

在這世界中，誰人無子女，又誰人忍見愛女走上自毀自絕的不歸路？古聖哲謂退一步海闊天空，想必其來有自，當我們聆賞了，如此性格悲劇，焉能無所啓示與了悟？

（八十一年十二月八日立報）

「飆車小子」廣播劇

——剖析私生子的心結

相信全天下的人沒有人願意當個私生子，只是命運的安排，即使不願意，仍有些人注定要當私生子，除非遇到特別有愛心的人，給於適切的開導，否則，他們將永遠生活在那些不名譽的事件之陰影下。

由漢聲劇團演播，李曉丹編劇的廣播劇「飆車小子」，就是寫私生子阿雷的故事。

阿毛是個專事詐賭、詐騙的惡棍，年輕時曾強暴阿雷的母親，至使阿雷的母親生下阿雷，阿雷的母親，身無特殊技能，又無學歷，謀生談何容易。爲了生活，於是在阿雷七歲時，下嫁工頭老萬，阿雷不知生父是誰，又不願養父管教他，於是性情偏激。高中畢業後不想繼續升學。他養父幫他買了一部機車，好方便他去找工作做，沒想到阿雷成天在外遊盪，且把那部機車改裝加速度，迷上飆車。

阿雷飆車速度驚人，在那個圈子打下知名度，成爲飆車高手。有人便利用飆車比賽，作莊設賭局。在好友蔡頭拉線下，作莊的提供一輛新式進口機車給阿雷。當參加賭賽車的人都賭阿雷會得第一時，沒想到那輛新機車，卻在加足馬力時，一個螺絲鬆動，車子飛出跑道。坐在後座的女友貝絲受了重傷，一直昏迷不醒。

事後阿雷發覺可疑，打聽之下得知，因爲大家都簽賭阿雷會贏；阿毛爲了取得爲數不少的賭金，便在那輛新機車上做了手腳。阿雷一氣之下，動刀殺傷阿毛。阿毛先被抓去警察局，阿雷的媽到警局等逃逸在外的阿雷，碰到了阿毛。阿毛才知道自己設計傷害的人，正是他當年留下的孽子，眞可謂因果報應絲毫不爽。阿毛要阿雷的媽不要把這個秘密說穿，他會盡量承擔刑事責任，減輕阿雷的罪。

在親情的感悟之下，阿雷終於勇敢的到警察局投案。但，他至死至終也不知道自己的親生父親，就是害他出車禍的惡棍阿毛。

牟希宗先生，不僅是廣播劇製作人，也曾演出電視劇連續劇，尤其擅長反派角色。劇中阿毛一角，由他演來頗爲傳神。袁光麟演的阿雷更不用說了，他演什麼像什麼，把一個少年不滿現狀的心情，詮釋的恰如其分，說他是戲精也不爲過。

飆車小子中，有一點令人覺得十分可惜之處，就是飾演阿雷的母親那個角色，竟由聲音甜美的于潤蘭來演。平常我們聽她主持節目，演年青的角色都覺得很自然。這回她演出有點年紀的婦女，因爲用的是假聲，雖然演得很賣力，仍覺得怪怪的。怪就是怪，也可能聽起來不習慣，反正說不上來那兒不對勁。幸好那不是本劇的重點。

因爲離婚率增加，再婚率隨之上升，在情非得已之下，有些人註定要與繼父或繼母相處，像阿雷因爲生父不負責任，便得跟著養父過日子。這種姻親關係常帶給人不愉快的經驗，雙方都難免有負擔及心理壓力，若不善加調適、溝通，往往發展成不良的人際關係。很可能一句話，就引來一場風暴。如劇中老萬，因教訓阿雷希望他不要去飆車，阿雷不領情，老萬失口說了一句「眞是品種不良」，使得阿萬立即又外出遊蕩。先前所有的關愛，都因爲這樣的一句無心的話，而換來持續的反抗與怨恨。

像這些在外遊蕩、無所事事的飆車小子，是目前形形色色的社會問題之一。如果那些人能夠醒悟過來往好的方面發展，那方是社會國家之福。

（八十一年十二月二十一日立報）

「鐵漢」

——跟上時代的腳步

父子倫理常被劇作家，拿來作爲戲劇的素材。「鐵漢」就是一齣描寫父子關係的廣播劇。在編劇沈白帆的筆下配合中廣廣播劇團的演出，凸顯出現代人的父子情深。

鍾雄是某建築公司的監工，工作賣力，頗受上司器重，他有個高中畢業的兒子志華，考不上大學，又不努力讀書、個性貪玩，每次父子見面，不是訓話就是吵架，有嚴重的代溝。志華在一家補習班補習，因爲對讀書沒太大興趣，且年輕氣盛。每次坐下來讀書，沒十分鐘，身體裡就好像有一團火似的，燒得好熱，想爆炸。於是鍾雄看著兒子時，眼裡盡是失望。

內心苦悶的志華，交了一個一樣愛玩的女朋友小咪，兩人到KTV唱歌解悶，沒想到老闆娘「好心」送他們一卷黃色錄影帶看，使得少男少女在衝動無知之下，偷吃禁果，初嘗魚水之歡。

志華與女友做了糊塗事之後，整天魂不守舍，因爲並未深交，小咪也很後悔，並且不再理他。鍾雄看兒子不肯好好讀書，乾脆叫他到工地，從小工學起。父子兩人仍舊有很深的代溝，主要是他們彼此心境不同，很難溝通。有一天，小咪的哥哥到工地找志華，要求三十萬元遮羞費。志華說拿不出錢，且覺得三十萬元太貴，簡直是乘機勒索。小咪的哥哥原是個混混，一聽生氣起來，就叫打手把志華打一頓。鍾雄看到兒子被揍，上前想要替他解圍，沒想到被一起痛打一頓。直到工地的工人發現，才動員全體工人，解救監工及他兒子。

志華自知闖禍，對不起父親，很想找機會表現，好讓父親對他另眼相看。正好鍾雄負責的工程，地下室因下雨積水，工人們忙著維護工程、抽水。志華看父親不眠不休，他志願冒風雨到工地幫忙。鍾雄氣兒子不成材，故意要他淋雨幹活，志華跟許多工人一樣拚命幹，一改平日的軟弱。正巧鍾雄爲了查看電源跳下地下室的深水區，一時腳抽筋沈下去。志華發現父親可能被淹死，立即也跳下水救人。在這件事之後，鍾雄原諒了兒子，父子兩人都知道，原來彼此是這麼深深的愛護對方，先前志華對父親的誤解，也經由工作經驗中，漸漸化解，父子關係也因而和諧，而不再有代溝。

戲要好，就要寫得深刻，所謂能受天磨成鐵漢，志華在親自體會父親的工作之後，才慢慢了解父親的心情。兩人的關係由對立改善爲和諧，這期間的種種過程，正是戲劇的血肉。本劇的播出，確實反映現代父子關係的溝通問題，屬佳作。惟有一點配音上的小問題——在志華打電話給小咪時，音效配的是舊式的轉盤撥號聲音。由於電信局已在一、二年前，全面汰換轉盤式話機爲按鍵式。希望中廣配音人員，在錄製音效時，若有撥電話聲，要錄按鍵式的聲音，以符合實情（民初的戲另當別論），畢竟時代在變，科技日新月異，廣播劇也該跟得上時代的腳步才是。

（八十二年一月十九日立報）

「巧妙的計策」

——逗趣的閩南語廣播劇

長久以來，寶島的閩南語戲，不論是歌仔戲、電視、廣播劇，大都以「悲情」取勝，近年來，由於生活富裕，閩南語戲劇也突破「悲情」之題材，代之以多樣化之各種，比較有進取、突破……等精神的戲。例如，中廣閩南語廣播電台播出的「巧妙的計策」，便是一齣輕鬆有趣、反映社會現實，又兼顧鄉土人情的廣播劇。

是劇概述，有一位鄉下老太太李來好，長子天送及女兒淑美均已婚，在台北就業，次子天助與她住在鄉下，也已在某公司工作。有一天李來好標到會，收了三十八萬九千五百元，準備爲天助娶妻用的，卻遇上「金光黨」，錢被騙走。自從失去三十幾萬之後，李來好整個人像沒了魂，悶悶不樂，連稀飯都燒焦。

三兄妹商量之後，女兒淑美想出一個妙計：由三人湊出三十幾萬，請一位警察朋友，送還給他們的母親。騙她說錢大部份追回。李來好信以爲眞，情緒立即恢復正常。誰知她拿了錢，馬上到「神明」那兒「還願」，要請兩班布袋戲來「謝神」。三兄妹只好便請了「學生戲班」來演。最後，李來好北上，幫忙女兒淑美，在小型托兒所裡帶小孩做結束。

中廣的閩南語廣播劇團，可以說是此地閩南語廣播劇團，水準最整齊的一團。每位演播人員都相當稱職，蘇琴演的鄉下老太太李來好，性格塑造成功，尤其可愛。她的聲音，加上劇中人的性格，使我不禁回想起家鄉溪洲村，不正有很多像李來好這樣的村婦！較備感親切。另外戲份較多的天送—勝源飾；天助—勞男飾、淑美—美枝飾，也都有很傑出而令人激賞的表現。當然，麗娟導播及蔡順貴之配音使全戲之氛圍一致，恰如其分。

就劇情及對話方面，編劇林志列先生，能把一些很普通的情節，寫得流暢、有趣，已經相當不容易了。唯令人覺得奇怪的是，當李來好之兒女們，在討論布袋戲來「謝神」時，竟然該鎮爲「民俗鄉鎮」，並接著約有三—五分鐘，一聽就知與本劇劇情無直接關係的「民俗鄉鎮」之介紹，顯得相當「八股」，而與其劇情格格不入，這對整齣戲的統一性，是一大傷害。

中廣廣播劇所演播的戲，向來注重中國優良傳統之發揚。像「巧妙的計策」中，雖有歹徒結黨行騙，而三兄妹則頗盡孝道，利用善意的謊言，以慰親心。可惜，歹徒則依然在逃，尚未伏法，三兄妹之孝心，也未受到表揚。準此，何不在劇尾加一段，過了一段時期、歹徒被擒，李來好家又來了一位警察，請她到警察局領回被騙的錢。她才知道，原來自己的子女是如此孝心感人。這樣，不僅孝行獲得表揚，歹徒被擒就法，故事首尾呼應，更具完整性與社教意義。不知編者以爲然否？

（八十一年九月二十八日立報）

「天公疼憨人」

——評介閩南語劇「兄弟情」

俗話說：「人算不如天算」。的確，未來的事有太多變數，儘管人千方百計，精打細算，往往敵不過冥冥中，命運的安排。中國傳統文化，崇尚厚道，尤其是台灣農村的鄉親，比都市居民來得有人情味，樸實善良多了。閩南語廣播劇「兄弟情」描寫一位厚道的兄長，友愛幼弟的故事。

新旺、新和兩兄弟以農耕爲業，本共居一屋而相安無事。弟弟新和十九歲時，父母均已亡故，都是兄嫂照顧他，對他疼愛有加。不料弟媳婦惠珍，不願再與兄嫂同住，吵著要分家。在惠珍的大哥惠勇的幫襯下，新和把不值錢的土地給大哥，而分得最好的水田，並將田賣掉，得一千多萬元，加入惠勇的建設公司，蓋房子並充當該公司總經理，而實質上是「人頭」。過一段時間，惠勇捲款潛逃，新和被訂房子的客戶逼著要錢。

不料，新和向兄長新旺騙了三、四百萬，說要去解決房屋訂金的問題。害得新旺，又把一部分田地賣掉，賸下最差的七分地，一家人四出做工維生，而新和拿了錢，又去做生意賠光，後來被訂戶遇上，還不出訂金而被移送法辦。

若干年後，新旺擁有的那塊農地，因土地重劃，被列爲自宅用地，一下子增値爲好幾千萬，他們一家人又回家團聚。此時，惠珍又聽說新和已關在看守所之事，除非還客戶訂金，才能放出來。新旺一聽，立即把那賣地的幾千萬元，又拿出來，好讓弟弟無罪釋出。而罪魁禍首惠勇，卻逍遙法外，一個人逃到菲律賓去。

現實生活中，的確有許多歹徒行騙，像劇中惠勇陷害妹婿的事，也時有所聞。至於新旺這麼好的大哥，則眞的是「點燈仔火也很難找」。或者，由於新和一直是他照顧長大的，才有如此兄弟之情吧！就題材而言，類似此兄弟分家，長兄疼幼弟的故事，多不勝數，所以這種劇情太普遍而很難寫得好。尤其劇中的惠勇，他拿了錢跑到國外去，卻一點事也沒有，害得新和、新旺兩家人家，吃盡了苦頭。尤其是新和幾乎走投無路。誠然，現實生活中，有太多人，把別人害慘，自己卻活的很好。但，在戲劇中，對這種損人利己的自私之輩，最好能有所懲戒。否則，對世道人心，恐怕有負面影響，聽衆更是難息心中義憤。

記得，四、五年前，我寫了一齣電視劇，製作人看了之後準備採用，在拍攝之前全體工作人員先開一次會，我應邀列席，大家逐頁過濾劇情。該劇有一段情節，說兩個小偷，趁人之危，偷了別人的財物，卻仍安然逃逸，工作人員看到這一段竟義憤群起，認爲該給他們倆一點教訓。於是，爲給觀衆一個交代，製作人便當場要求我加寫一場。讓那兩個偷錢的人不得好報，一個摔了腿，一個跌破頭。那位要求我改劇本的，便是金鐘獎得主王長安先生。

「善有善報，惡有惡報」是信不信由你的事，而在通俗戲劇中，這是中國人長久以來，奉爲聖旨的不變法則。在此，我們希望中廣廣播劇團，在發揚傳統精神之餘，不要忘了聽衆的感受。例如：劇中惠勇，最後若能被遣送回國，關進牢裡；或是又騙了其他人，遭人報復等，豈不大快人心！

戲劇如果只是呈現現實人生，那麼何藝術之有？據此，儘管實質上，天公是否眞的疼憨人？我們則不必追究，但樂見戲劇中，老實人眞的不吃虧。唯獨對於惡人，我們縱使可以原諒，但，一定要有所報應。否則，大家聽了這種惡人得善終的劇，心想老實人很好騙，又不會被抓走，久而久之，起而效法。那不是無端增加社會的混亂嗎？劇作家在下筆時，不可不三思啊！

（八十一年十月十日立報）

「董事長的先生」

——評閩南語廣播劇

廣播劇除了連續劇以外，大多可分爲五〇、三〇、十五、五分鐘等長度。中廣「閩南語廣播劇場」是五十分鐘的節目，有時劇本短少三、五分鐘，就用音樂來補白。近日中廣播出廣播劇「董事長的先生」一劇，卻只有約三十三分鐘左右，縮水長達二十分鐘，令聽衆尤其是有戲癮的，還未過足戲癮，就結束，有損自身信譽，盼中廣公司留意，此風不可長啊！

「董」劇敘述女強人秀娟，是好幾家連鎖童裝店的董事長。小她一歲的丈夫福川，卻只是個小公務員，心裡總有個結：自認爲配不上能幹的妻子，在她部屬親友面前抬不起頭來。加上在一連串事件的刺激之下，福川離家出走，並寄上離婚協議書，欲與妻秀娟離婚。

當福川到海邊散心時，巧遇一對賣海鮮粥的夫婦。同樣的，那位賣海鮮粥的太太，也比她先生能幹。但，她丈夫卻以自己的太太爲榮，並樂得輕鬆，生活快樂。福川受到他倆夫婦之啓示，終於想通了，回到家裡與妻子重修舊好，安心做個董事長的先生。

這個戲是描寫「小男人」的心酸，故事並無強烈的衝突，且結構上犯了草草了結的毛病。也就是福川要克服心結，回到妻子身邊，除了心理調適，應該也有實際之事件發生。使他深刻體會，原來自己不能沒有妻子獨自過活。如果把這段曲折演變的戲，加入補滿，也許節目就比較充實了。

（八十一年十一月五日立報）

「我不是㷟㷟仔馬」

——向命運挑戰戲

看到「㷟㷟」二字不要以爲印刷出錯，也不要以爲筆者寫了別字。㷟字是台語，意思同壞。

「我不是㷟㷟仔馬」是中廣播出的閩南語廣播劇，描述一位不認命的小兒痲痺殘障者，鄭阿信的奮鬥故事。

從讀小學起，鄭阿信即爲了維護自己的尊嚴，而痛毆譏笑他的同學。他不肯向命運低頭，考上大專，卻不能讀自己想讀的科系。因爲他是殘障者，不敢向心儀的女同學愛珍求愛，結果，眼看愛珍嫁給了別人。

雖然感情不如意，阿信仍勇於向命運挑戰，拼命找工作，想要有更好的出路，無奈又因爲他的腳，老板只肯提供輕鬆又低薪的工作給他，這促使他在工作之餘，更努力去學成衣打版的技術。

取得打版技術士證書的阿信，四處找工作，還是沒有公司，願以較合理的薪資聘僱他。他正在找合適的工作時，巧遇婚姻失敗的愛珍，也在找工作。於是兩人由往日的友情，發展成愛情。愛珍因丈夫事業有成之後，即棄她不顧，使得她更堅決要與「至少不會變心，被別的女人搶走」的阿信，共創未來。雖然雙方父親皆反對，但在母親的同情諒解下，他們組織了新家庭，並自己開成衣加工廠。待工廠經營略有起色，也有了愛的結晶，雙方的父親都看在孫子的份上，開始接受他們婚姻。阿信也利用工餘之暇，到殘障服務機構，義務教殘障同胞成衣打版的技能。

路是人走出來的，但，身體殘障的朋友，在他的人生道路上，恐怕走得比一般身體健全的人還辛苦。幸運之神要眷顧一個人，並非沒有原則的。成功決不是偶然的。觀察那些成功人士，不難發現，他們有一個共通特點。就是—失意時不怨嘆，落魄時也不膽寒，時時在向理想邁進，並且不怕吃苦……。

認命是一個很要不得的觀念，或許可以用來安慰失意的老年人。對於年青人，這個觀念實在不合適。因爲一旦認命，就容易屈就現實，被現實所限，不想往前積極進取，那裡會有成就可言？俗語說「㙫㙫仔馬也有『一步踢』」你要滿足於這「一步踢」，還是要有高的成就，全在於你自己。

（八十一年十二月十九日立報）

「原裝進口」

——中廣的閩南語廣播劇

自從清末八國聯軍，洋槍大砲把中國打得落花流水，中國人的民族自尊心，一直未能正式重建，部份國人崇洋媚外的心態，也一直持續著。中國廣播公司閩南語廣播劇「原裝進口」，把國人這種愛用外國貨的心態，寫得一點也不假。

許文福只是國校畢業的黑手，在春雄開的修車廠做事。由於他的技術精良，有進取心，常常利用時間自行設計，發明一種汽車省油器。可是研究太用心，致耽誤與顧客約定時間，常常顧客上門，他未把該修的車修好，引來老闆不高興，鬧得幾乎要叫他走路回家。幸好老闆的妹妹春雲，慧眼獨具，常替文福說好話。雖然，春雲是商專畢業，學歷上不相當，但她很欣賞文福苦心研究發明的精神，兩人愛苗與日滋長。

克服種種困難，並在春雲鼓勵協助之下，文福終於成功發明能省油的化油器。由於愛國心，他不願高價賣給外國廠商，而與國內廠商合作製造。可是商品上市，乏人問津，消費者一聽是國產品就不肯買。經不起成品嚴重滯銷，製作廠商爲了商業利益，把該機器出口到國外，在國外重新包裝之後，以「原裝進口」的面目重新上市。雖然價格比原來貴兩倍，生意卻比原先好太多太多。消費者一聽是「原裝進口」，不管價格多貴，照買不誤，許文福雖賺到鈔票，卻也明瞭一個事實，國人不信任國產品，反而當了冤大頭，花兩倍的價錢，買同一件東西，眞是可悲。

相信許多人也有類似經驗，在國外買了一些精美的東西，回家仔細一看，原來是Made in Taiwan或Made in China，而這些東西國內是買不到的。眞是一大諷刺。

劇作家尤美雄也是編劇老手，在劇中把一場文福向春雲求婚的戲，寫得含蓄耐人尋味。與我台灣居民純樸之風極搭配。惟在對話方面。有些語法不合台語習慣。例如文福說他發明那個省油機器，是花了很多「精力」才完成的。台語的習慣不說精力，而說「氣」力。另外有些句子太文，不夠口語化。例如劇中春雲說，文福的發明可以「帶來很大的財富」，應該說成「賺大錢」或「賺很多錢」。

老一輩的不說，目前居住在台灣的青年，自幼受的是「推行國語」運動的教育。要寫出一本完全合於台語語法的劇本，對劇作家而言，這要求太苛了。所以劇作家只能把他所能運用的文字，盡可能的口語化。演播人員在看本子時，抓住劇本的意思自行發揮。比較有經驗的演播員，能把那不夠口語化的文字，轉化成自然生動的「口語」。缺乏經驗的演播員，只會照著本子唸稿，便會出現太「文」，而不像說話的話來，這對戲劇是一大傷害。如何使演播人員，都能自然的把戲「演」出而不是生硬的「唸」出，端賴導播的功力，與有效指導。

（八十二年一月九日立報）

趣說廣播劇劇本中「……」符號

從事廣播劇本寫作數年來，常被一些朋友，問到一個有趣的問題：「你這劇本裡，這麼多點點點（……）是什麼意思？」

於是許多人圍過來，便開始討論「……」的用法。有人說，稿費是按字計費的，點的愈多，可以多拿一些稿費呀？聽了覺得很好笑。又有人說，一定是篇幅不夠長，用點點點來充數吧……大家七嘴八舌，什麼答案都有，就沒一個說對的。

事實上，在人物對話中，劇本裡常有「……」出現，它，最主要是提醒演播人員，要略略停頓一下，以呈現其戲劇動作及表情。若無「……」，演員一口氣說完那句話，與略略停頓再說，口氣就大不相同。例如「我愛你」。三個字一句，一口氣說出來，跟「我……愛你」或「我……愛……你……」「我愛……你」的口氣，就各自代表不同情況。一口氣說比較肯定而無所顧慮，中間有停頓，表示有所畏懼、猶豫、膽怯，或有其他與劇情配合的表情作用。

老實說，廣播劇是按長度計酬、且與電視劇劇本比起來，酬勞眞是少得可憐。一齣五十分鐘的戲有公定價錢，在劇中使用再多個「……」，於「錢」無補，運用「點點點」，只與劇情有關，無干稿費。

（八十一年六月十九日立報）

談廣播劇「錦瑟恨史」的出版

民國七十二年，我十七歲，離開家鄉父母，隻身在台南半工半讀，住在兩坪大的斗室中。房內除了分期付款買來的國產鋼琴外，就是鐵床、書桌、及收音機而已。每天忙著上班、上課、練琴；空閒時，唯一的娛樂，就是收聽「廣播劇」。

收聽「廣播劇」，事實上從我幼年就開始。父親繼承祖業，終年在義竹鄉的溪洲村務農，剛分家時經濟困難，我尚未入小學。一家六口，擠在四塊榻榻米大的通鋪上。父親每天晚上都要聽「講古」，等「義賊廖添丁」播完之後才肯睡。我雖膽小，屋小無處逃，又不得不聽，所以常常躲在棉被裡，防止廣播裡的「壞人」聲音隨時出現。……如今回憶起來眞是恍如昨日。

即使在求學當中，我因爲常常聽廣播劇，又曾發表散文及現代詩作品在副刊上，便想著——或許我可以試著來寫廣播劇。空閒時即將此想法付諸實際，在自己摸索之餘，參閱了許多戲劇編劇的書籍，並於七十六年至八十年中，參加了不少有關「文藝寫作」的訓練課程。包括各類型的編劇班，去年三月，又參加了文建會與中國廣播公司合辦的「廣播劇研習營」第一期。在這次訓練中，除了研習有關廣播劇的寫作，也實際參予實習製作。在楊仲揆先生、高前先生、戴愛華導播、葛大衛導播……等廣播界前賢的指導教化下，使我對廣播劇的寫作有更深入的體會。

這六年來，承中廣公司、漢聲電台不棄，多次採用我的劇本，使我覺得相當幸運。又，最近寫的「錦瑟恨史」，蒙成功大學退休教授蘇雪林先生賜教良多。如果沒有拜讀她的大作「玉溪詩謎正續合編」，就無法得知李義山（即李商隱）與宮嬪相戀的血淚情史，又如何寫得出「錦瑟恨史」這齣廣播劇來？

一齣廣播劇從無到有，在劇本方面，除了編劇的文筆貫串及巧思之外，資料的搜羅或故事之取得，更是不可掉以輕心的。

四○年代廣播劇大受歡迎，可謂是其黃金時代。當時，不乏「廣播劇選集」的出版。到了五○年代，電視劇搶下廣播劇的天下，使得廣播劇困守邊域，在電視劇「死角」的陰影下，慘淡經營其「活角」。近卅年來，很少有人再出版廣播劇選集，使有意從事廣播劇劇本寫作的初學者，缺乏是項參考書以資利用，出版商或許基於市場需求狀況，不予出版，只是如此一來，恐怕有心從事廣播劇創作的人，更難入門了。八十一年六月蒙文史哲出版社的支持，讓我把我的一些廣播劇作品，結集出版了「錦瑟恨史」單行本，希望讀者，能多予批評與指教。

（八十一年六月十三日立報）

「宗教與人生」

——趣味的李俊男講經

李俊男，不知是否因爲製藥、賣藥的緣故，又叫藥慧法師。由他主講的「宗教與人生」，在全台灣地區十幾個電台，不同時段轉播，可見其受歡迎之一斑。

按說，講經是很正經嚴肅的事，這種節目總是在說教，要人悔改，行善……像這種節目，若能做到不教人討厭已經不容易。竟而大受歡迎，其中必有緣故。最主因在於這節目兼具趣味性與親切性。要讓聽衆覺得親切，並不難，只需放下身段。但要有趣味性，可就難了；尤其講經是闡明佛法，佛法深奧非凡夫俗子所能輕易領悟。然而，俊男先生，他做到了。究竟，這其中關鍵何在？

在於他能善於應用笑話。

笑話？笑話！講經何其莊嚴，怎麼可以與笑話混爲一談？當然可以。試想，如果講經的師父，一味的說教，叫聽衆要如何如何。非但節目要淪落爲不受歡迎之列，聽衆不是關機，就是打瞌睡，又怎能達成宏法的目的？更別談普渡衆生，教化萬民了。當然，我所謂的笑話，泛指一些無傷大雅的話題，並不包括黃色笑話。

有一回，俊男先生，在強調不要浪費時，談到有一位年老信衆，曾告訴他說，自己的子孫有多麼孝順，買了一條牙膏給他，非但不辣而且很香。俊男先生聽後，就告訴老者。那一條肯定不是牙膏，是洗面皀。老者回去一問，果然如俊男所言，於是驚呼俊男爲活神仙，能未卜先知。俊男笑笑對他說，「我那裡是能未卜先知，不過按常理判斷罷了！」

在說完這個小笑話之後，俊男先生勸人不要浪費，認爲洗臉洗身體，不管洗那裡都是將污垢除去，何必浪費物質分開使用不同的香皀呢！他並自謂，全身清潔只用一塊皀就行了。

不浪費這種觀念是値得贊同的，但，清潔全身只用同一塊皀的理念，實在很難令現代人心中不存疑。

誠然，這不過是件微不足道的小事。但，眞理或謂觀念之釐清，相當重要。像這樣一個被不同電台競相轉播的節目，影響力不容忽視，盼聽衆自己要愼思明辨，也希望廣播媒體的「守門人」，切實負責。

對於俊男獻奉己身，志在救人渡人的宗教精神，我們最該尊敬萬分。也樂見宗教性節目，受人歡迎。更希望將節目之不適宜處減到最低點，俾可進一步造福大衆，功德無量。

（八十一年十一月八日立報）

俊鳴講古的風格

——一個永遠的說書人

說書或謂講古，是一種雅俗共賞、老少咸宜，寓教於樂的演說故事的行業。在生活單調的古代社會，普遍受百姓喜愛。現今社會，電視、電影、MTV、KTV……等強勢娛樂媒體，隨處可見。講古，便經由電台廣播的形式，方便聽衆聽講，而以賣藥或替他人作藥品廣告取得經費。俊鳴就是這樣一位，講古兼賣藥的說書人。

由於生長在農村，從小跟著阿公、阿爸聽俊鳴仔講古，求學時代在台南工讀等，全公司的人都準時收聽，俊鳴講的都是歷史故事。現在走到街上，或在車上，仍常可聽到他的節目，俊鳴魅力可見一斑。

數十年來，俊鳴講古的風格，可以說數十年如一日。曾經有一度，他與女演播員麗君合作，用接近廣播劇的方式講歷史故事，當然，泰半是野史。較有名的是講李世民打天下那一段——隋唐演義，及三國演義……。現在他正在講的是「黃巢試寶劍」。已講到黃巢帶領二十幾萬餓莩兵攻占潼關，直逼長安云云。

說實在的，不管講的是那一段古，俊鳴著重的除了故事本身的趣味、曲折性之外，更注重中國傳統的忠、孝、節、義……。並且常常利用故事引發的話題，闡述他個人的獨見。有些人也許不愛聽這些「題外話」，但，我總覺得這些話，比故事本身更有價值，且發人省思。

例如，在黃巢的部下勸太守朱溫，背叛朝廷，跟隨黃巢起義時，俊鳴談到公道與公平之別。他認爲公道自在人心，因爲沒有一個準確的衡量標準，所以比較難做到。而公平呢？只要某方面相等，或數量平等就達到了。比如三兄弟分三間店面，一人一間似乎很公平。若要求公道，則有地點好壞，收入高低之別，所以公平往往是假象，公道才合乎人情義理。由此可見，俊鳴本人是頗有正義感的人。

比較一人演播及與女播音員合作，一人自演自講比兩人有趣，受歡迎。有些人，如我以前公司的女同事，就有人特別喜歡聽俊鳴，假裝成女人、及莽漢、小孩子的有趣聲音。眞的使用女聲，反而失去那特有的趣味性。最後，如果可以，希望俊鳴能夠藥少賣一些，故事多講一點。

（八十一年十一月十一日立報）

「散播溫情在人間」

——評閩南語的「社會劇場」

戲院的舞台是具體有形的，人生的舞台則隨處存在，且永不止息。是以由李俊龍、范如宇聯合主持的，社會性諮商節目，取名「社會劇場」。

該節目係閩南語發音，開放電話給聽衆、舉凡有困擾無法解決者，只要打電話求助，主持人除了會細聽你傾訴之外，也會適當的給你一些建議，並有專家到場分析事理，甚至還請了法律顧問，指點法律疑問。像這樣以服務爲主的節目，眞是提供大衆不少方便。尤其是知識比較缺乏的村夫村婦、基層人員，在遇上麻煩時，打一通電話，即使問題並未立即解決。但，至少也尋出個該如何面對問題之方向，心情稍稍寬慰之餘，生命熱力必重新燃起。

爲了確保節目品質，並非每位聽衆來電均可獲得播出，只要製作單位認爲不適宜播，或播出無益於大衆者，則先行過濾。有位婦女朋友，她頻頻打電話給主持人，但，談話內容均未在節目中播出。

據聞她在電話中多次哭訴自身婚姻不幸，尤其痛恨她公公。訴說她公公的種種罪狀：打她、罵她、拿刀子想殺她的小孩……。她自述曾一連向十幾個派出所、法院告發，但警員一聽她公公的名字，就嚇得不敢抓他……。

一個人面臨麻煩問題時，或心有解不開的結，最重要的是必須自覺，堅強起來，唯有自己才能解決自己的問題，他人的意見，均只是提供一些資訊，即使親如父母、子女、兄姊，最多也僅能充當精神上的安慰，何況是社工人員？

沒有人天生就是強者，泰半是從艱困環境中歷練出來的。我很喜歡「社會劇場」這類散播溫情在人間的節目，雖然成效不見得勝過專業之心理治療，畢竟，也是大眾可以利用的一個管道，且影響層面甚廣。

（八十一年十一月十三日立報）

「安安趕雞」

——吳樂天「娛樂天地」評介

身爲台灣人，關心台灣事。基本上，我很喜歡「安安趕雞」這個故事。由吳樂天在「娛樂天地」節目中，以講古的方式播講，最近即將播完。故事概要如下：

安安本名林守安，是清末台灣子弟第一個考中狀元的巡撫。他出生清寒，曾替人趕雞爲生，所以鄉民叫他趕雞安仔。由於在困苦環境下，不忘發奮讀書，安仔終於考中狀元，並得當朝丞相看中，欲招爲女婿，與女兒阿月成親。

不料，以澎湖爲根據地的一群海盜作亂，海盜頭子竟是安仔的親弟弟林守仁。丞相本想毀了這門親事，又因事已公開，他自己面子掛不住，於是面聖請了聖旨，逼林守安在期限內，拘捕海盜頭子到案。及後守仁爲了不防礙哥哥的前途，自殺身亡。守安因而看破紅塵，解除婚約，並辭官，將房子錢財贈與友人，獨自往觀音禪寺，會見了悟禪師……。

吳樂天講古草根性濃，聲音短促結實：缺點是場次太短，聽衆還未聽過癮，就開始賣藥。而賣藥的廣告詞也是千篇一律。並且在故事當中，每說到認爲該用某首歌曲來陪襯時，就任意放一首歌，一聽即知未仔細挑選。這樣的歌，與故事無甚關係，只讓人覺得受干擾，不如不放。

雖說人比人氣死人，但，同樣是賣藥，同樣是講古，同樣是表達某種觀念，俊鳴的表達方式溫潤多了，他分析事理平心靜氣，就好像是我們的鄰居一樣，聽他說故事，更是欲罷不能。可是，吳槳天卻給人感覺，他是在推銷自己。再加上時常有他在報上的新聞，總給人一種火爆的印象，無形中不免產生壓力與恐懼。

聽衆愛聽的是故事，然電臺演播人本身的作風、行爲，也會影響聽衆的觀感，切勿掉以輕心。尤其廣告詞汰換率也該提高，免得久聽生厭。總之，吳樂天講古，能在選材上，關懷台灣人、台灣事，注重台灣歷史，是值得嘉許的。

（八十一年十一月十八日立報）

聽警廣胡雲「京片子」——說紅樓夢

此地衆多說書人中，警察廣播電台的胡雲先生，可以說是唯一用京片子說書的一位。他在警廣說書，也數十年有矣，最近播講的是紅樓夢。

如衆所知，紅樓夢乃清朝人曹雪芹所做，全書共有一百二十回，雖然作者有詩云「滿紙荒唐言，一把辛酸淚。都云作者癡，誰解其中味？」唯經由這榮、寧二府的盛、衰，及賈寶玉並十二金釵……等人物，道出人世間多少悲歡離合。紅樓夢的故事很龐雜，並非我在此三言兩語就能說盡。否則，熱心研究此書的文人，也不必煞有介事的組成「紅學」研究會了。

由於研究者衆，紅樓夢的版本不知凡幾，正巧我手頭上這一套，與胡雲先生的一樣。他播講的時候，我對照著看，馬上發現他的技巧高明。當然，他不是照本宣科，而是把小說中的辭句，更口語化一些的講出來。例如第十回下半，張太醫論病細窮源中，有一段談到張太醫論賈容之妻秦氏的病。原文是「……現今經期不調，夜間不寐……」胡雲先生便說是「經期不順，晚上睡不好……」以利聽衆一聽即懂。並把一些較專門的略去不說，如原文中張太醫開的益氣養榮補脾和肝湯，原文裡寫的什麼藥材，聽衆一般不感興趣，他就簡略的帶過，免得聽衆覺得無聊。

跟台灣說書人俊鳴一樣，胡雲先生，也頗懂得利用故事情節，來「言以載道」，抒發己見，給大衆來一段即興演講，闡明某些理念，或說一些有見地的題外話。例如談到張太醫論秦氏脈息說「大奶奶是個心性高強聰明不過的人。但聰明太過，則不如意事常有；不如意事常有，則思慮太過。此病是憂慮傷脾……」胡先生由這一段話，引發一段「人不須太好強」的理論，並用道家的「無」、「有」兩種觀念，來說明人的智、愚。剖析人不宜聰明過頭，而竟「無」中生「有」，自尋煩惱。該用心的事，儘管用心，爲了瑣碎之事，用心鑽牛角尖，則容易思慮太甚而得病，實在划不來……

的確，人生有許多眞理，又何嘗不是蘊含在諸多被我們忽略的事物中。表面上，胡雲先生是在說書，實際上，他是在「傳道」，利用中國的道家思想，及哲學理念。言語間一點一滴的娓娓道來，滲入人心，如宗廟洪鐘清朗悅耳。令人聽後，受益良多。

（八十二年一月十六日立報）

「戲說三國」

——類似說書的「空中劇場」

自從連續劇「戲說乾隆」大受歡迎，電視、電台便吹起一股「戲說風」，一系列的播出戲說這個，戲說那個。漢聲電台每週六，在調頻廣播網播出，由丘山客主播的「空中劇場」，就取名「戲說三國」。

嚴格說來，「空中劇場」應屬廣播劇連續劇之範疇，然其中卻應用說書的方式，交代故事情節且無報幕。若要把它歸諸講古之類，可是參與演播人數、及配樂方式，都具有廣播劇之樣態。要說它是屬於廣播小說，顯然也很牽強。揆諸實際，我們可以將之定位在，有說書人而無報幕之「類廣播連續劇」。

「戲說三國」，演的是三國時代的歷史故事。由於是「戲說」，自然不必太計較，故事本身是否違背史實，只要離史不遠，就相當難能可貴的了。一般說書人，往往把故事中的主人翁，加以美化，以形成受人愛載，令聽者同情的氣氛，這本無可厚非。

例如，丘山客在「戲說三國」中說到——，當趙子龍衝入曹操大軍，從跳井而亡的糜夫人手中，突圍救出世子阿斗，驅馬來到劉備營前。不想，這劉備非但沒有抱起阿斗，高興的撫慰呵護一番。反倒把熟睡中的阿斗，一把抓過來給弄在地上，罵道：「為了你這個小子，差一點使我損失一員大將，你還睡得這麼熟。」阿斗一哭，趙子龍連忙跪說：「主公待我恩重如山，我肝腦塗地也無以回報，糜夫人臨終之際一再交代，小主人是主公飄蕩多年來唯一的骨肉，您就別再責備他了。」——接著丘山客有感而發，說，各位您瞧，這是多感人的一幕啊！充份表露了君愛臣、臣敬君的興國精神。

「君愛臣、臣敬君」固然沒錯，表面上劉備是這麼樣一位，愛臣子甚於親生子的好君王。實際上，讀過正史的人都知道，劉備攻於心計，性極陰險狡詐。他丟阿斗在地，並厲聲斥責，是相當矯情而又高明的手段。他演這一場戲時，必量力使阿斗不致受傷，卻經由這個動作，讓一身是膽的趙子龍，感銘於心，焉有不為之效命沙場之理？劉備之控制人心，手腕之運用，眞是厲害厲害！

（八十一年十二月十五日立報）

「天下第一樓」在日本觀後語

——誰是主人誰是客？

歲末，到韓國參加中、韓作家現代文學研討會，順道往日本東京一遊。投宿的太陽城王子飯店（Sumshine City Prince Hotel）貼出某劇場的演出戲目——中國現代劇「天下第一樓」——的廣告。雖然去問了問票價，約合新臺幣一千五百元一張，與在北京看的票價，相差懸殊，我還是買了票進場。畢竟，能在異國客旅途中，觀賞到中國人演出的舞臺劇，不能不說沒有那份「他鄉遇故知」的欣悅之情。

「天下第一樓」，由北京人民藝術劇院的成員演出，何冀平女士寫的劇本。從西元一九八七至今（西元一九九〇），兩年間演出二百多場，可見它受歡迎的程度之一斑。本劇內容主要是描寫「清末民初發生在北京前門（正陽門）外，老字號「福聚德」的故事。

「福聚德」是一家，以賣北京烤鴨爲主的飯店。在唐老東家的經營下，原本生意興隆，名震京城。老東家年老多病，將店傳給兩個兒子管理。但是，唐大少爺沈迷京劇，二少爺醉心武術：兩兄弟均無心經營買賣，只知向櫃上索錢花用，從不想怎麼樣讓烤鴨多賣幾隻。福聚德因爲兩兄弟的「只管出、不管入」，而日漸虧空，生意就快做不下去了。唐老爺被二個不肖子，氣得病急而亡，在臨終前，將福聚德交由對買賣有一套的盧孟實經營，授意他當掌櫃的。盧孟實在當上掌櫃的之後，應用他的才智爭取吃客，生意一天比一天好，甚至在債台高築的情況下，為這店起造一座高樓，擴大營業。

無奈，盧孟實因聘請另一位廚子李小辮來當灶頭，而得罪了店內原有的烤鴨師傅羅大頭。羅大頭積怨在心，於兩位東家面前挑撥是非。最後，兩位唐少爺把買賣收回，盧孟實送給東家一付對聯。這對聯其中一句「誰是主人誰是客」點出劇作家的詮釋觀點，對資本家（東家）與勞動者（夥計）間的主客關係，提出質疑。主線之外穿插有，盧孟實與妓女玉雛的愛情發展、克五爺的落魄王族悲情、堂倌常貴的小人物辛酸……

× × × ×

看了「天」劇，不得不佩服該劇作者用功之深，及中國美食的「博大精深、駭人聽聞」。也許有人要抗議，用博大精深駭人聽聞，來形容中國美食是不是太誇張？看過本劇的人，就知道一點兒也不誇張。劇中第三幕，某食客並非真要吃「金玉滿堂」，故意考考玉雛。那玉雛不慌不忙，慢啓朱唇道——經霜乳唾好燕窩二兩，用天泉水發好，銀針挑去黑絲，加嫩雞湯，好火腿，米杜磨菇爛煨成玉色，呂宋青魚翅，不用下鱗，只取上半原根，用肘子，雞湯、鮮筍、冰糖沌兩天，煨成金色，小刺參滾肉湯泡軟，雞汁、肉汁、蝦子汁燒成棗紅色；再加三錢「西施舌」。七個烏魚蛋，十枚銀杏，配上筍尖絲，鯽魚肚，香菌，木耳、野雞片，燒幾個滾兒，勾玻璃欠兒，下明油，倒挂出鍋，盛在金托金蓋四爪金龍缽裡，叫做「金玉滿堂」。——這所謂的金玉滿堂，大部份的中國人聽都沒聽過，更別談吃過了。像這類的詞，非經花費一番功夫去蒐尋資料，平常沒有做過飯庄子生意的人，是寫不出來的。想是有人提供這資料。

據長居住北京的「老北京」們說，北京眞的有一家以賣鴨子聞名的老店，但店名叫「全聚德」，這劇中的「福聚德」是否有影射的含意，就不得而知了。

就大結構而言「天下第一樓」的情節編排，是相當緊密成功的；然而在某些方面卻不免有點兒小問題，沒有常看舞臺劇的觀衆也許不會注意到。在此，我願將自己發現的小問題提出，供喜愛戲劇的朋友們參考：

一、中國人做對子是常有的事，若問一付對子從開始請人做起，到完全做好爲止，究需多少時日？恐怕很多人一下子也答不上來，都要被這一問給問住了。劇中第二幕，一九二〇年，就已提到盧孟實請修二爺做對子（原克五爺的傍爺，後受聘爲福聚德的帳房兼「瞭高兒」的）。第三幕時間是一九二八年，對子拿出來是在第三幕幕後的尾聲，這一付對子從開始做，到完成，間隔了八年之久，著實叫人不敢置信。

這對子被劇作家苦心經營，寄望它在全劇中擔負起「畫龍點睛」的任務，它是否擔得起這樣的重任，有待商榷。像「好一座危樓，誰是主人，誰是客；只三間老屋。時宜明月時宜風。」這樣的對子，由盧孟實的愛人玉雛臨走時送來。然後修二爺重覆說起：「差個橫批！『沒有不散的筵席』」來作結，不免使觀衆疑惑，人既然要走了，這對子才送來，東家會給掛上嗎？掛不掛也許不是重點，好好的一部內容紮實的戲，這麼簡簡單單地作結，眞是有點可惜。

二、第三幕中。烤鴨子師傅羅大頭出場，後面跟著落魄王裔克五爺。店內夥計見他糾纏師傅耍賴，要趕他出去。克五爺說：幹什麼你們？我告訴你們，五爺而今是「聞香隊」的！

起先我也不懂，何謂「聞香隊」，後來向居住過大陸的長輩請教。才知道所謂「聞香隊」，是解放（一九四九年）後，共產黨推行土地改革政策。叫出窮人翻身的口號，當時組成「聞香隊」到鄉下地方去偵察。若發現有人私底下偷偷殺了雞或豬、牛牲畜煮來吃，「聞香隊」一定可以聞到香味，就提出來鬥爭他。這時期除了「聞香隊」，還有「聽壁隊」……這些名詞。

按說，這劇本的年代，第三幕是一九二八年，至少還要等上二十幾年，才會有「聞香隊」這個名詞出現吶！

三、第三幕落幕前的情節，羅大頭被偵緝隊察出私藏煙土，按說該抓走「現犯」才對，怎麼反倒抓走盧孟實？即使盧孟實願負全責，一起去做擔保，也不該留「犯人」羅大頭在場上，而不把他一塊兒帶走呀！

除了前面提到的問題之外，要看懂「天下第一樓」這齣戲，最大的困難在地域性及專有名詞太多，造成觀衆的「無法細看」。例如，北方說「炸果子」指的是油條，如果沒有問了「老北京」，我還當它是什麼乾果之類的零嘴呢！中國人來看都無法完全了解，何況是日本人？

那天，去看戲的日本人，每人耳上戴了同步翻譯機，眞不知那些菜名，都是怎麼翻譯的。就算給翻出來了，他們眞的聽懂嗎？

戲中有一個情節，說，盧孟實的父親在一家店裡當夥計，被用大秤秤來秤去的，幾乎沒有尊嚴（「簡直拿人不當人」）。生長在臺灣的年青人，如我，怎麼想也想不出個道理來。爲什麼要用秤來秤人，這麼秤爲的是什麼？向老一輩大陸來台的人一問才知，昔日開店的老闆，因怕夥計偷東西，上工時把人進門秤一次，下工時出門再秤一次，才能放心讓夥計回去。

臺灣目前最神氣的就屬勞工，有什麼不滿意之處，輕則抗議，重則遊行，老闆都要看他們的臉色。識相的就請喝酒，送禮物拉攏感情。否則，沒有人願來上班。所以，這種把人秤來秤去的事，有如「天方夜譚」般的神話，如果不加解釋，臺灣一般年輕人是不能理解的。

寄望，有那麼一天，「天下第一樓」能在臺灣演出。讓居住在此的觀衆們，得以欣賞「京味兒」十足的舞台劇，也見識一下中國自古留傳的「飲食文化」。更殷切地期許，演出單位能將那些專有名詞、地域性名詞，及與時代脫節的劇情（例如拿秤秤人），做一番詳細的說明，打印在演出特刊上。俾利觀衆們。能更深入地欣賞這齣好戲，一起來思考「誰是主人，誰是客？」

散戲後，劇作家姜龍昭先生、名記者陳宏先生，和我，一同到後台拜訪相識的演出人員。找到正在卸妝的「人藝」副團長林連昆先生，小談甚歡。此時，才眞正是「他鄉遇故知」呢！

（註）本文發表後，曾寄北京「人藝」，想不到二年後，該團來臺北演出此劇，林連昆告知，已採擇我的拙見，劇中已刪去有關「聞香隊」之臺詞。

（八十年一月二十、二十一日立報）

「詹天佑」在北京觀後有感

七十九年仲秋時節，隨中國舞台劇協會組成的「台北戲劇藝術訪問團」走訪北京。在當局接待單位的安排下，除了座談，參觀劇院，劇校之外，還看了「雷雨」、「詹天佑」兩部舞台劇。

「雷雨」是大陸資深劇作家，曹禺先生的代表作之一。自然它有可取之處，尤其在人物性格的塑造上，非常強烈。但是，就一九九〇年生長在臺灣的青年來看，這戲的情節巧合得未免有些老套。還不如那一齣後輩作家編寫的「詹天佑」，令人振奮激動，甚而慨然淚下。對於國家、民族的大愛，及隱藏內心的救國情操，一時間，都被舞台所營造的氣氛，引發上來。

「詹天佑」一劇，由濮思溫、劉振蒸兩位劇作家合寫，是得獎劇本。導演張奇虹女士，有感於詹氏對中國鐵路的偉大貢獻「在國力不繼，物資匱乏及權貴壓迫……等不利環境中，排除萬難。建造京張鐵路，後來易名平綏鐵路，是我國第一條純由國人之技術及財力築成的鐵路。「明知道這樣題材的戲，賣座不會好，是件吃力不一定討好的事，張導演還是把劇本拿來，認眞謹愼地修了好幾回，費盡心思的排演。當我看了這戲時，數度被劇場的氣氛感動，淚溼方巾，心裡懊悔，懊悔自己沒有盡到身爲中國人的職責。

本劇最令我感動的一場戲，至今仍銘心難忘。這場戲安排詹天佑因遭受太多壓力，內有權臣阻撓修路事宜，外有英、俄勢力欲奪路權，圖利剝削中國權益，還要面對經費不足，……等難纏問題。詹氏一人獨自沈思，深感身為知識份子，想要做事，卻處處受制於貪官污吏的窘境。他自恨空有一身學問、技術，為了要確實做一番事，不得不做官。假若不做官，就沒有人把重要的事交給你去做。若要做官，卻又得逢迎諂媚，否則立即被小人朋黨所害。他的心好苦，很想以死了斷，化解這股理想抱負不得實踐，所鬱積的悶氣……此時燈光轉暗——

舞台上的詹天佑進入夢境，他的美籍老師諾索卜夫人，自後面站在小火車車廂上，沿特殊軌道緩緩上場，音樂奏出莊嚴仁愛的聖母頌，諾索卜夫人對詹氏說了一些勉勵的話，使他重拾求生意志。夢醒後，立誓今生再不講一個死字。

這場戲充分表現出知識份子的憂鬱。當我聽到諾索卜夫人對詹氏說的話，叫他不要失去信心，堅強應對，固守理想，總會有辦法的……竟感同身受。

後來，詹氏快造成京張鐵路時，又遭小人陷害。清兵來抓人，衆百姓勸他為了妻兒，逃走保命，他答道：「我若逃走，鐵路造不成，雖生難安。我隨他們前去，鐵路繼續建造，一旦完成，縱死無憾。……」

試想，古今中外，為了國家權益，摒棄私人情感，而能有「雖生難安，縱死無憾」之豪情者，幾人能夠？詹氏偉大的愛國情操，至此表露無遺。

在北京停留了一週，總共與張奇虹導演見了三次面，張導演曾留學俄國五年，歸國後一直從事各類型舞台演出之導演工作。當我就觀賞「詹天佑」一劇後的心得，與他交換意見時，他激動得把我擁抱入懷，對我說：「哦！你的想法，太偉大了！」

他萬萬沒有料到，一個來自海峽對岸的「姑娘家」，（他們看我年紀輕如此稱呼我），竟與他的想法不謀而合。是啊！我們共同有一份對中國不可割捨的熱愛，只要能使中國強盛，激發民心士氣、愛國情操的事，都是我們共同的志願。

當他抱住我時，我稍稍掙脫開來。因爲，我心裡不能同意他說的「你太偉大！」這樣的話。偉大的怎麼會是我呢？偉大的是我中國緜長悠久的歷史文化與壯闊靈秀的山河啊！

近一、兩年來，我一方面由於事忙，另一方面是爲了找不到一位能把我心中的想法表現出來的導演，而停筆不寫舞台劇劇本。如今知遇了張奇虹導演，見識到他無可挑剔的藝術技巧，我暗暗告訴自己，多寫劇本吧！有這麼好的導演等著你呢！

政治因素的不便，不能阻礙我們對舞台藝術共同的喜愛。我多麼希望，看到此地也有人，願意排演類似「詹天佑」這樣，能激發青年愛國熱忱，給與觀衆正確的民族思想，而非一味說教的「八股」戲來。按目前的劇場環境來看，我的想法似乎有點兒天眞。但，換一個角度來看，假使我不再抱持這「天眞的」希望，又何能繼續我對戲劇藝術的努力？

（七十九年十一月二十七日立報）

（註）本文蒙北京「青藝」雙月刊總第卅四期轉載。

「老百姓胡同」評介

開放大陸探親以來，挾題材特殊之優勢，大批「祖國」的作家進駐寶島，此間多項文學獎得主，莫不唯大陸作家是問。中視元老級資深演員洪濤——「洪老伯」所領導的中視舞台劇團，為配合建國八十年文藝季，一改往昔採用本土劇本的作風，推出帶有「京味兒」的舞台劇「老百姓胡同」。這是選自行政院文化建設委員會徵選優良舞台劇本的得獎作，作者田芬女士，近一、兩年來，頻頻在臺灣發表新作，且勇奪各類編劇獎，創作實力之強可見一斑。

「老」劇分三幕共一景，全部用燈光暗代替下幕。用寫實的手法，演出北京市某小巷內，四合院裡四戶人家的悲喜。劇情分四線發展，線與線之間相因相循。

㈠後院張家奶奶，因為一手帶大的孫子小三參加「六四」天安門學運，慘死坦克車下而精神失常。她一天到晚叫著「小三兒，回來喔！小三兒，你在那裡？」雖她只是個瘋子，卻是全劇的靈魂人物，也是本劇最成功的精神象徵。

㈡東廂房趙家老爺爺的女兒秀姐，是個很會賺錢的個體戶（指大陸公營制度外的小商店老闆。）她一心想買幢房子，卻苦於政策搖擺不定，頗受折磨。

㈢西廂房周堅、周惠兩兄弟分別有金錢及出國的困擾。弟弟周惠同時也是學運的一份子，劇末被公安人員（大陸的警察）抓走。

㈣鄭家妹妹與男友一心想出國，卻無法如願，竟想出與周堅等四人（聯合結婚）以便出國的怪招。她大哥係環保學者，因對大陸心存幻想，從美國回來，希望能一展長才，終究失望而再度出國。

另外，鄭家以前佣人的兒子石伯，是臺灣退役老兵，因回去探親，與跛腳的鄭家「小阿姨」（大陸上替人幫傭之婦女的稱呼）譜出戀曲。

這齣戲雖只是描寫小老百姓生活的悲喜，然關懷的層面卻不僅於此；它更進而觸及現世中國大陸人民的無奈，及全部中國人該面對、該思考、該細細反省檢討的課題——何以中國優秀的年輕人，人人都想出國？把流浪異鄉，視爲光宗耀祖的美事？任何藝術或戲劇，在娛樂觀眾之餘，能提出這樣具體又富啓發性的問題，都足以因它的嚴謹與深度，而受到肯定。

好演員不在乎戲份多或少。洪老伯飾演的老兵石伯戲份並不算多，他卻能恰如其份地讓這個角色在劇中活起來，令人留下深刻印象。猶記，他一出場，尙未開口，觀眾經由他別具風格的肢體語言，立即以愉悅的笑聲回應。彷彿他與觀眾在這種方式下進行親蜜對話似的。

總體言之，「老百姓胡同」製作嚴謹、燈光、佈景、配樂……莫不見其巧思。演員除了飾演周堅女友者略嫌生澀外，均堪說稱職。

有一場戲，寫周家兩兄弟的父母，因工廠鍋爐爆炸事件喪生。大哥周堅捧著骨灰痛哭自責，後悔自己不該爲出國，想籌足兩萬元，而讓原本當大學教授的父母到工廠任事……這是劇情的高潮。由於周父、周母沒出場，劇力大打折扣，演員哭得再逼眞觀衆也難以產生共鳴，可惜！

若是先前能讓這周堅的父母出場，演出他們熱愛研究理、工方面的學問，卻愛子心切，違願辭去教職，爲了籌錢到他們一向瞧不起——設備差、工具老舊的工廠當指導員……最後不幸慘死。補上這一段，演出周家父母內心的矛盾掙扎，加上後頭兒子哭泣自責的戲，必能感人至深，賺人熱淚，不知編劇以爲然否？

戲碼常常要變，觀衆愛看好戲的心理是不變的。

理論上，京味兒的戲該找演京片子（道地的北平話）的演員來演才對味。實際上，以本地觀衆習慣的語言來表演，將更合宜，更受歡迎。準此，本劇的導演貢敏先生，指導演員以普通話發音，不苛求他們講流利的京片子。否則，眞要請了說京片子的人來演，恐怕很多以台語爲母語的觀衆，要一邊看戲一邊問旁人——伊講啥？

「老百姓胡同」已在台北演出兩場，首演時等候入場的觀衆大排長龍，隊伍從社教館門口一直延長到台視公司對面的公車站牌。有識之士或可預期，若干年後兩岸關係更親蜜時，由兩岸戲劇團體直接合作的戲，必然在臺灣占有一席之地。屆時，觀衆將有更大的選擇空間，本地劇作家可得加把勁囉！

（八十年十一月二十三日立報）

我看「家和萬事興」

西諺說：" East or west, home is best. " 然而，就現今離婚率大增，「代溝」普遍存在，社會競爭激烈，人人面臨各種壓抑的時代；家庭和樂已經不再是那麼易得的了。

「家和萬事興」是「中視劇團」成立以來，首演的舞台劇。由熱愛戲劇的洪濤先生製作，徐一功先生導演。內容絕不是原來寇世勳與潘迎紫演過的那齣連續劇。而是由黃英雄先生編寫的《急診室風波》稍加修改，而成的另一個溫馨喜劇。

經由劇作家的巧思，把一些同是自殺獲救的人，集合在一個場景裡；藉著他們彼此交談，作角色的介紹，使觀衆意識到這些原本不相干的人，恰好是組成一家三代的典型人物。就戲劇上要求的「別出心裁」而言，這個構思是相當成功的。

有句話說「好戲在後頭」，說得一點也不假。在劇情遽變下，這些自殺獲救的人，忽然受到一歹徒的襲擊，身受威脅時；卻一個個珍惜起生命來，甚而跪地求饒，露出貪生怕死的眞面目。其中有一個病患家屬，原本從未想過要自殺；在察悟出人與人之間的疏離，有感於連最親密的妻子都不能信任他時，反倒有了求死的念頭。這「生死在一念之間」的強烈對比，把戲劇的張力充分發揮。讓觀衆不由得要對生命的存在與生活的方式，重新作一番省思與考量。

比較前一陣子在國家劇院上演的「北京沒有月亮」，（原名「沉船」）「家」劇在親和力上大佔優勢。據洪濤先生表示，「家」劇巡迴中南部演出時，將使用「台語」「客家語」，以利大衆觀賞。把劇場溶入生活，帶向群衆，使那些聽不懂普通話（即國語）的老先生老太太們，也能來欣賞這齣舞台劇。這非但不是「降格以求」，且是另一層意義的精神提昇；更爲舞台劇的生存空間，開出另一條前景可觀的道路來。

再舉「北京沒有月亮」一劇的例子來看，劇中「父親」的角色，同時是北京文革後公安局局長。按理說，若爲求逼眞，故事發生在北平。北平的「官」，說的應該是「京片子」與普通話相去不遠，此地觀衆應當可以接受。但，演員說的卻不知是那一省的口音；我聽起來是「雲南話」卻又說得不道地。很多台詞因爲說得快（也許是劇情所需），根本聽不出他說些什麼，造成觀賞上的困難。

反觀現今劇場，派系分歧各有主張。有的人，把從國外學來「那一套」硬生生的拿出來「現」，殊不知，現在的觀衆已經不再盲目的崇洋媚外；愚蠢到以爲外國的就是好的，（至少我和我的朋友絕不那麼認爲），況且「吃桑葉，若只會吐出桑葉」，那是蠢材！一定要經過消化，吐出適合中國觀衆，眞正屬於中國的「絲」，那才是創造，才値得喝采。不是一昧的迷信所謂「專家學者」帶回來的「外國貨」。

另有些人，自我陶醉在「他人」早已鄙棄的　「小」劇場裡不屑於面對觀衆，偏往所謂的「前衛」

「後現代」的牛角尖去鑽。並高喊「藝術至上」，騙取劇場觀念薄弱之年輕人的熱情。使得不願接納此活動的青年朋友，有被同伴恥笑「落伍」的憂慮。

基於人性，撇開專業劇場派系歧見來評價，純以一個觀眾的立場而說：「家和萬事興」舞臺劇是值得一看的。

（七十八年十二月十四日中華日報）

「金色的鈴聲在天空」劇情的商榷

基於「空大」人關心「空大」事的心情，我特別去觀賞空大戲劇社演出的「金色的鈴聲在天空」一劇。又基於熱愛戲劇的愚誠寫作此文，願向空大同學們討教。

「金」劇是一齣探討女性婚姻、事業、愛情爲主題的戲。內容描寫一對播音員夫妻，如何由丈夫的善妒、妻子的求學乃至外遇，及妻之二姐的遇人不淑，而引發女主角金鈴內心的矛盾衝突。

本劇在主題的表現上，不甚明確。也可以說它的主題很容易遭到誤解。大凡戲劇之主題，可概分爲三大類：其一是具有「社教意義」的主題，其二是具有「宣導價值」的主題，其三是探討「人生哲理」的主題。本劇主題之所以易遭誤解，是因爲它無法完全歸於任何一類，又好像與任何一類都有一點接近。

戲劇教授鄧綏甯先生在《編劇方法論》中說：「所謂『戲劇的主題』就是作者透過戲劇的故事、情節、以及對話等所表達的中心思想。」

沒有中心思想的戲劇，也就是沒有主題的戲劇，這等於是一個沒有靈魂的作品。當然，本劇是有主題的，但若能減少分歧思考，讓中心主題明確集中些將更好。

在情節安排方面，筆者特別要提出女主角金鈴的外遇問題來，加以討論。雖然已婚女性的外遇，在西風東漸的現代社會已有漸漸被接受的趨勢。但是劇中安排金鈴在就讀空大的情境下，與外遇對象亦即班代表夢情邂逅，進而發展成男歡女愛的浪漫愛情，這種劇情呈現　恐怕對空大的校譽，造成反宣傳作用。我本身是個以寫作爲副業的家庭主婦，因讀空大的緣故，剛好也常有男同學打電話到我家。我先生很緊張，怕我再讀下去，有朝一日被別人勾引去了該如何？所以他看了「金」劇中，妻子唸了空大以後，非但不能明禮義知廉恥，反而放縱情慾，搞出婚外情的醜事，最不能認同。

戲劇的取材可此可彼，婚外情雖然老套，仍不失爲一個可以表現的題材。然而拿空大人的進取精神，來搭配婚外情，是我對本劇感到最大的遺憾。假設讓女主角的婚外情發展成互相砥礪之友情，或者純是一場誤會，如此保持金鈴（在此已然代表空大人）的人格完美，志節崇高，豈不更好嗎？再就女性觀點而言，已婚婦女當然有交往異性朋友的自由，但必須「發乎情止乎禮」。否則，不僅是對配偶忠實與否的問題而已，更是本身人格的喪失。若處理不當，也可能會害人害己，造成悲劇。所以在設計戲劇上的婚外情時，不可不慎重地確立詮釋觀點，與批判的角度。

空大戲劇社是一個非職業性劇團，我們不宜以專業眼光過份來苛求它。單憑劇團成員能在百忙中抽空排戲，大夥兒團結合作把一齣戲演完，這種團隊精神值得喝采。

（七十九年五月八日新生報）

「機器人」話劇的聯想

中共鎮壓學生民主運動的消息，經由各種媒體傳來。這件事使我聯想，今年國立藝專戲劇科，畢業公演的話劇——「機器人」（R.U.R.是Rossum's Universal Robots的縮寫）。

依情節類型看，「機器人」屬於社會批評劇。作者蔡比克（Karel Capek）雖然是捷克人，但，贊成用和平的方法，來解決一切國際糾紛，反對獨裁。身在共產主義國家，他把時空設定在未來的某個無名島上。藉著在島上的機器人製造廠發生的故事，及精心設計創造的角色，針對機械化文明的潮流，給予沈重的一擊。

戲中有一段情節敘述：世界各國的人類，奴役機器人，從事生產、勞動、甚至戰爭，以致引起機器人叛變，各地暴亂不斷發生。……機器人殺了人類，占領世界……。

反觀中共全然不顧「人道」的政治手段，不禁令人慨嘆。大陸同胞如果不起來爭民主、爭自由，而寧苟且生存在「槍桿子出政權」的「恐怖統治」之下，那麼他們的「人權」喪失，只是一具連機器人都不如的「生產工具」罷了。

事實証明，他們已經起來了，起來爲自由民主而爭，因他們已經覺醒了，覺醒到不能再忍受「暴政」。

看他們「以死的氣慨，爲了生而戰」。「學生代表跪求民主。」串串晶瑩的淚在滴、滴滴滴……卻被視而不見充耳不聞，看他們還很「柔嫩」的肩膀，肩負著沉重的死亡。

機器人若有靈性，也能「無動於衷」嗎？

（七十八年七月八日立報）

聆賞歌劇「遊唱詩人」之後

義大利作曲家威爾第的四幕歌劇：「遊唱詩人」，自一八五三年在羅馬首演後，迄今一百多年，仍於世界各地劇院，諸如紐約、聖彼得堡、倫敦皇家歌劇院等地頻頻演出。

今年國家劇院為了配合台北市音樂季，以八百萬元巨資製作此劇。匯請中、日、美、義各國演唱家輪番演出，號稱年度壓軸大戲。演出第二天，媒體即報導「李登輝總統偕夫人均曾到場聆賞，對精彩演出讚不絕口。」且「座無虛席，演出者表現極為傑出，觀衆均報以熱烈的掌聲。」聲勢之浩大，可見一斑。

威爾第的歌劇音樂，自有其已受肯定的藝術價值。他的作品，如弄臣、茶花女、阿伊達、假面舞會、命運之力、那布果等，都是廣為世人所喜愛的。因此，當我聆賞「遊唱詩人」之後，不得不再一次敬佩作曲家的天才；居然能為「遊」劇那麼不完美的劇情，譜出足以留傳後世的完美曲調。

然而，音樂再怎麼好，終究是位義大利人，以他義大利人的想法，付諸情感、聲樂、技巧等等所完成的作品。

在理論上，音樂藝術是可以不分國際的。在情感上，我，身為一個中國人，處在現今的寶島臺灣，不禁要爲中國人的民族自尊心與自信心的普遍低落而憂。

台北市音樂季從民國六十八年開始，演出過的歌劇計有「丑角、費加洛婚禮、茶花女、浮士德、波西米亞人、卡門、弄臣、西廂記、杜蘭陀公主、阿伊達、遊唱詩人」其中唯獨「西廂記」，取材自我國古典文學故事，由黃瑩先生作詞，香港屈文中先生譜曲，勉爲其難算是中國人自己創作的大型歌劇。

現代的中國，正面臨傳統文化體系崩潰，東西方思想觀念氾濫。大多數人失去原有系統的價值觀、文化觀，及人生觀。使得事理無一定的準繩，對錯亦難有標準答案，音樂藝術亦然。在這當口，中國人該如何面對「民族自尊與自信心」的問題？

政府有關單位，勢必得統籌策劃出，一套發展中國式歌劇的具體辦法。不該僅止於消極的演出外國人的歌劇，花大筆的經費，做片面的文化交流。更應積極的發展實質上，富於中國精神的音樂藝術，才是正途。

要發展中國式的現代歌劇，必然遭遇很多困難。但，只要有心去做，並非不可能做到。在西洋音樂史上，德國的華格納便是一例。

華格納與威爾第同時期，是一位學養廣博，勇於革新的音樂家。他取白遼士和李斯特創立的標題音樂，由巴赫和貝多芬流傳下來最複雜的器樂作曲技巧，加上文學與思想上的創新；把從前所有音樂上的進步綜合起來，革新「器樂法」，以德國人的想法寫作歌劇，將具有高度藝術性的戲劇，組合成一種在當時來說是最進步、最現代化的德國歌劇。

其作品在德國音樂史上，發展成風格獨特的樂劇。華格納以富於流動性的「無限旋律」，使戲劇結構更能緊密連貫；超越一般歌劇抒情、宣敘之囿。而此作風在當時樂壇引起熱烈的爭議，有人崇拜，有人憎惡。不論當時的定位如何，從史料得知，華格納以後的作曲家中，很少有不受他影響的。證明他的觀念是正確的。

以目前臺灣社會經濟之富裕，遊學各國且學有專長的「音樂家」比比皆是，卻發展不出屬於現代中國的歌劇，不是很奇怪嗎？希望我們期待將成立的文化部，不要再坐視這種怪現象繼續下去。

（七十九年二月十五日立報）

附錄一：「錦瑟恨史」評介

——談柯玉雪的廣播劇

王世德

近年來，廣播界崛起的女編劇甚多，唯出版「廣播劇選集」單行本的則很少。最近，柯玉雪女士由文史哲出版社出版了一本「錦瑟恨史」，老作家蘇雪林教授爲之作序，推崇備至。其中有二個劇本，還是金環獎的得獎之作，可見具有相當水準。

經拜讀之後，有向讀者推介之必要。自序文中我們才知道，作者年方二十多歲，卻多才多藝，不但會彈鋼琴，而且發表過小說、散文、詩、劇評、小品和廣播劇。作者天資聰穎，努力學習，刻苦鑽研，勤奮寫作，兩次進入爲期半年的「文藝創作研習班」，一次學戲劇，一次學散文，之後又參加「小說創作研究班」，「文學與電影——立體鑑賞營」，「現代詩」巡迴文藝營，「廣播劇研習營」，又在「國立空中大學」學習，眞是好學不倦，有堅定鋼鐵般的意志，是向勝利之路挺進的戰士。

文學藝術中的詩、散文、小說、音樂、電影舞臺劇和廣播劇是相通的。它們都是審美對象，可以互相啓發，使人觸類旁通。柯玉雪女士廣泛地學習這些文藝體裁，並且勤於練習寫作，就能使自己有廣泛深厚的文藝修養，提高自己的文藝創作能力。由此，我們可以體會到，她能寫出這些廣播劇，出版這一選集，捧出這一碩果，確實不是偶然的。

這個選集中，共收集五個廣播劇，都能按照廣播劇通過口語化的對白，和逼眞的聲音表現一切的特點，生動地刻劃人物的性格，提出廣闊的社會問題，有巧妙的藝術構思，表現矛盾衝突。

「助聽器的妙用」的構思很巧妙，讓醫院院長聽到了會計主任如何做假帳，耍花招，占用公款的密談。如果他耳朵正常，貪污犯是不會在他身邊密談的。如果貪污犯知道他戴了助聽器，也是不會這麼做的。這齣戲鞭撻了會計主任的醜惡靈魂，同時也歌頌了鄭敬仁醫師忠於醫生職責，一心只想減輕病人痛苦，又和院長等人一起關心廖盈秋出納員兒子住院治病和生活上的困難。這個戲塑造了院長這個人物，表現他的機智、勤奮、細心、關心同仁，賞罰分明，是相當成功的。

「守住田園守住家」的是非愛憎分明，幾個主要人物也有鮮明個性。柯大財，身在農村，卻追求享受，一心想到台北去發大財，認爲種田太辛苦，賺錢少而慢，他不顧父親年老，只管鬧著要分家。他分到了父親一生血汗掙來的田地，又把它賣掉，去做股票生意，結果，欠了三百萬的債，就去參加陰謀組織，煽動鬧事，終於被捕，他愛虛榮和享受的妻子也跟別人跑了。最終，他才悔恨沒有聽父兄的教誨「勤奮的做事，本分的做人」。這個戲的主題是正確而積極的，人物性格也是鮮明的。

「瞎了眼的人」，寫出了一些大學生的生動面貌，他們的心理狀態，他們的個性語言。這齣戲還表現了一些複雜的社會狀況，肯定了純潔大學生的愛國心，寫他們經過事實的教育，認清了各種人的眞面目，擦亮了眼睛，提高了警惕，不再被人利用和欺騙。

「我愛原則我愛你」，把玩世不恭而自命風流的富家子弟陳啓文，和溫和勤儉的王三德作了對比的描寫，使兩人的性格相互反襯，顯得更加鮮明。這齣戲寫陳啓文要開畫展、王三德要辦鄉民的歌唱比賽、九嬸婆要幫表弟競選鄉長做宣傳，三家都要在八月十五日借用鄉公所的大禮堂，通過這一個中心事件，歌頌了王三德爲鄉民謀福利、有原則、有正義感、老實誠懇的性格，寫他終於獲得了蔡美珠的愛情，有喜劇色彩。

「錦瑟恨史」是柯玉雪和姜龍昭聯合編寫的力作，是作者閱讀和研究了很多有關李商隱的著作，之後寫出的廣播劇。李商隱，是晚唐傑出的大詩人，他寫出了不少千百年來膾炙人口的著名詩篇，千古傳誦，歷久不衰。據蘇雪林教授等考證研究，李商隱年輕時有一段令人刻骨銘心的戀情，現在，在這個廣播劇中活生生地呈現出來，應說是廣大聽衆盼望已久的事，終於如願以償，這是我們要感謝作者的。

這齣廣播劇塑造了李商隱的藝術形象，也寫出了他在宦官橫行、篡權亂政的晚唐，有自己的政治理想，他不依附於李黨和牛黨，不在朋黨之爭中朝秦暮楚，而有爲國爲民的獨立主見。他十六歲時就名揚天下，得到令狐楚的賞識。他在王屋山求過道，後來扮作道士，進宮建醮作法，得有機會，認識了唐文宗的宮嬪盧輕鳳，同情她禁囿宮中埋沒青春之苦悶和煩惱，愛其才貌，產生了感情。這個戲表現他們在離宮的私會，又控訴了封建宮廷的門禁森嚴，表現了主人翁對自由幸福的追求。在戲劇的發展中，穿插了李商隱的幾首名詩，諸如「身無彩鳳雙飛翼，心有靈犀一點通」、「芭蕉不展丁香結，同向春風各自愁」、「春蠶到死絲方盡，蠟炬成灰淚始乾」等，使劇情更加洋溢著纏綿悱惻的詩意，同時也使我們對這些詩句有了更深切的體會和感受。這齣戲還寫到了：楊賢妃嫉妒盧輕鳳生了王子，就誣陷她私通外人，毒死東宮太子；李商隱有才學，也被人陷害。最後，懷孕的盧輕鳳和她姊姊都跳井自殺，對封建社會作出了悲劇的控訴。哀怨的音樂中，吟誦出「錦瑟無端五十弦」的詩句，留給我們無盡的哀思。這個戲是寫得很動人的。

（八十一年十一月十三、四日立報）

註：王世德教授現爲大陸四川大學一級教授、中國知名的「美學」學者，著有「審美學」、「十五貫研究」等書。

附錄二　柯玉雪得獎記錄

㈠七十五年七月天下雜誌「樂在工作」徵文比賽，獲第三名。
㈡七十六年警備總部青溪文藝金環獎競賽廣播劇本銀環獎「家」
㈢七十七年警備總部青溪文藝金環獎競賽廣播劇本銅環獎「狐狸尾巴」
㈣七十八年二月十八日中央日報、台灣日報、台灣新生報、中華日報、青年日報、台灣新聞報、國語日報、新聞晚報八報聯合舉辦「遏止六合彩賭風」徵文，獲家庭主婦組優等獎
㈤七十八年五月十二日行政院文化建設委員委託國立臺灣師範大學辦理「第二屆文藝創作研習班」舉辦文學獎比賽獲現代戲劇組舞台劇第二名（第一名從缺）「火坑」
㈥七十九年十二月青溪文藝金環獎競賽獲劇本類佳作獎「我們都是中國人」
㈦八十一年十月卅日第二十八屆國軍文藝金像獎徵文比賽獲廣播劇本獎佳作獎「流動的活水」
㈧八十一年十二月七日青溪文藝金環獎競賽獲劇本類銅環獎「快樂的魚」